D1300940

In seinem ersten Roman »Räuberhände« erzählt Finn-Ole Heinrich die Geschichte von Janik und Samuel, deren intensive Freundschaft durch ein einschneidendes Erlebnis auf eine harte Probe gestellt wird. Alles, was sie bisher verbunden hat, scheint durch wenige Minuten in Frage gestellt zu sein. Zusammen wollten sie sich in Istanbul auf die Suche nach einem freien und selbstbestimmten Leben begeben. Dabei lässt ihre Herkunft sie auch in der Ferne nie ganz los: Janiks liberale Eltern, die so viel richtig machen, dass es beinahe unerträglich ist; Samuels Mutter Irene, die Pennerin, die dennoch voller Stolz auf ihren Sohn blickt. In Istanbul hofft Samuel, seinen unbekannten Vater zu finden. Doch ist das nach allem, was geschehen ist, überhaupt noch möglich?

FINN-OLE HEINRICH, Jahrgang 1982, Autor und Filmemacher. Aufgewachsen in Cuxhaven, Filmstudium in Hannover. Lebt und arbeitet seit 2009 als freier Autor in Kiel, Hamburg und Südfrankreich

Bisher erschienen:
2005 »die taschen voll wasser«, Erzählungen (mairisch Verlag)
2009 »Auf meine Kappe«, Hörbuch (mairisch Verlag)
2010 »Du drehst den Kopf, ich dreh den Kopf«,
Hörbuch mit 2 Erzählungen und 2 Songs von Spaceman Spiff (mairisch Verlag)
2011 »Frerk, der Zwerg«, ausgezeichnet mit dem Deutschen Jugendliteraturpreis (Hanser Verlag)
2013 »Die erstaunlichen Abenteuer der Maulina Schmitt – Mein kaputtes Königreich«, (Hanser Verlag)
2014 »Die erstaunlichen Abenteuer der Maulina Schmitt – Warten auf Wunder«, (Hanser Verlag)
2014 »Die erstaunlichen Abenteuer der Maulina Schmitt – Ende des Universums«, (Hanser Verlag)
2016 »Gestern war auch schon ein Tag« (btb Verlag)
2017 »Trecker kommt mit«, Mit Dita Zipfel & Halina Krischner (mairisch Verlag)

Finn-Ole Heinrich

Räuberhände

Roman

btb

Für Bret, Fuhsti, Spring

Verlagsgruppe Random House FSC® N001967

15. Auflage
Genehmigte Taschenbuchausgabe Dezember 2010,
btb Verlag in der Verlagsgruppe Random House GmbH,
Neumarkter Str. 28, 81673 München

www.mairisch.de
Lektorat der Originalausgabe: Jan Oberländer, Daniel Beskos, Peter Reichenbach
Umschlaggestaltung: semper smile, München
Umschlagfoto: Holde Schneider / buchcover.com
Druck und Einband: GGP Media GmbH, Pößneck
MK · Herstellung: sc
Printed in Germany
ISBN 978-3-442-74125-0

www.btb-verlag.de
www.facebook.com/btbverlag

[Alle seine Sachen und alles, was von ihren noch zu gebrauchen war, ist in Kisten verstaut und in unserer Garage untergebracht. Meine Eltern haben mir geholfen. Neun Kisten, vierzehn Müllbeutel. Es hat knapp drei Stunden gedauert.]

Meine Eltern lieben Samuel. Und er liebt sie. Wenn Samuel mich nervt, nenne ich ihn manchmal *Adoptivkind*, das ist sozusagen sein wunder Punkt. Seit Samuel und ich in einer Klasse sind, sind wir befreundet. Fast sieben Jahre jetzt. Und seitdem schläft Samuel fast jede Nacht bei uns. Er hat schon lange ein eigenes Bett in meinem Zimmer. Meine Eltern haben es ihm geschenkt. Natürlich haben sie mich vorher gefragt, ob das in Ordnung für mich ist, sie würden so etwas niemals über meinen Kopf hinweg entscheiden. Aber es ist nicht so, dass ich etwas dagegen hätte. Ich bin nicht eifersüchtig, Samuel ist mein bester Freund und wenn meine Eltern nicht mich gefragt hätten, hätte ich sie wahrscheinlich gefragt.

Sie lieben Samuel, und sie haben ihn aufgenommen. Er ist ein Teil unserer Familie. Sie lieben ihn zum Beispiel dafür, dass er nach dem Essen mit den Händen die Krumen vom Tisch fegt. »Das macht sonst keiner«, sagen sie, wenn sie Freunden von Samuel erzählen, und sie mögen auch, wie Samuel seine Schuhe, diese scheißteuren Sneakers, die sie ihm geschenkt haben, vor der Tür abklopft und ganz gerade und exakt in den aufgeräumten, aber nicht zu aufgeräumten Flur meiner ordentlichen, aber nicht zu ordentlichen Eltern stellt. Das mögen sie. Wie er mit den Dingen umgeht. Wofür man Menschen lieben kann. »Und das bei seiner Sozialisation«, sagen sie, »das soll jetzt nichts heißen und überhaupt nicht abfällig klingen, aber zu erwarten und selbstverständlich sei das beileibe nicht.« Was sie nicht sagen wollen, ist, dass Samuels

Mutter Irene asozial ist. Sie ist eine Pennerin. Nicht so richtig, weil sie nicht wirklich auf der Straße lebt, sondern dank Samuel noch eine Wohnung hat. Aber sie ist arbeitslos und hängt den Tag über betrunken mit den richtigen Pennern rum. Meistens unter dem Baum vor dem Supermarkt. Da sitzen sie und trinken Tetra-Pak-Wein und leben ihr asoziales Leben. Irene sieht kaputt aus, ausgezehrt. Ihre Wohnung liegt in der Wohnsiedlung am Stadtrand. Es ist müllig bei ihnen, ein wenig kann man den Pennergeruch riechen. Fast so, wie wenn sich ein Penner in der U-Bahn neben einen setzt. Aber Samuel stellt seine Schuhe ganz ordentlich und bedacht in den Flur meiner Eltern. Wer hätte das gedacht.

Samuel ist überhaupt nicht eklig oder runtergekommen, er weiß, wie oft er duschen muss, er putzt sich dreimal am Tag seine Zähne und hat beim Essen beide Hände auf dem Tisch. Er ist mir eigentlich zu ordentlich, zu bedacht. Er kann an keinem Spiegel vorbeigehen, ohne den Sitz seiner Kleidung zu kontrollieren. Er macht jeden Morgen sein Bett. Er bügelt seine Hosen. Es gibt Dinge an Samuel, die verstehe ich nicht. Aber auf jeden Fall hat er nichts Asoziales an sich.

Vor ein paar Wochen noch: Samuel und ich in Stambul. So nennen wir die Laube in unserem Schrebergarten seit ein paar Jahren. Ich habe es irgendwann mal mit alter Farbe auf einen Fetzen Stoff gepinselt und über der Tür angebracht: Stambul. Das Tuch hing dort ein paar Monate, färbte sich im Herbst moosig grün, saugte sich voll Wasser, lag irgendwann im Dreck und landete im Müll. Aber unsere Hütte, unser Garten heißt immer noch Stambul. Wir sind dauernd hier.

Stambul, weil Samuel sich für einen Türken hält, seit er von seiner Mutter gehört hat, sein Vater sei angeblich Türke. Seitdem ist Samuel mindestens ein halber Türke, von einem

Tag auf den anderen. Mich wundert, dass er es nicht selbst etwas albern findet. Samuel zelebriert diese Türkennummer ganz schön, ich kann darüber lachen.

Wir sitzen auf der rostigen Hollywoodschaukel vor Stambul und glotzen auf die Beete vor uns, die bald bepflanzt werden müssen. Samuel wischt sich einen Schwung brauner Locken aus dem Gesicht hinter die Ohren, grinst und hält mir eine Zigarette unter die Nase. So lernen wir für das Abitur. Sind nur noch einige Wochen. Ein paar Hunde kläffen, Rentner hacken Unkraut, irgendwo weiter hinten mäht einer seine mickrige Rasenfläche, hier und da klackern Deutschlandfähnchen gegen ihre Masten. Etwa alle zwanzig Minuten donnert ein Zug über die Bahntrasse, die dem Kleingartenverein nach Westen hin eine Grenze gibt.

Samuel sagt, er wolle dieses Jahr endlich Feigen ernten in Stambul. Ich lache ihn aus. Das versucht er seit drei Jahren. Die kleinen, teuren Bäumchen sind allesamt verkümmert und erfroren.

»Siktir lan«, sagt Samuel, »ich hab gelesen, dass es neue Züchtungen gibt, die können minus zwanzig Grad ab.«

»Gut!«, sage ich und zünde die Zigarette an. Er guckt böse, es ist sein aufgesetzter böser Blick. Was er aber ernst meint: er ist empfindlich bei dem Thema, bei dem großen Thema *Heimat und Identität*, da darf man keine Witze machen, das mag Samuel gar nicht.

Er bastelt seit Jahren an der kleinen Laube, inzwischen sieht sie wie eine deutsch-türkische Begegnungsstätte aus, eine Mischung aus islamischem Kulturverein und Wurstbude. Wir sitzen also hier, wie jeden Tag nach der Schule, und rauchen. Samuel kramt in seinem Rucksack, er wirft seinen Türkischlernkurs für sieben Euro neunundneunzig zwischen uns. Er legt sich zurück, die Arme hinter den Kopf und stößt langsam Ringe aus Rauch in die Luft. Sieht aus wie Kinowerbung. Samuel singt, die Augen geschlossen: »Haberin yok ölüyorum.« Als würde er verstehen, was er da singt. Seit ein paar Monaten schon lernt er Türkisch und hört nur noch türkische Musik, türkisches Radio, was albern ist, er versteht ja kaum etwas. Wenn wir Döner essen, bestellt er auf Türkisch. Er singt und tanzt, wie er denkt, dass man als Türke oder halber tanzt und singt, sein Gesicht ist verzogen, das soll bedeuten: Ich bin im Einklang mit dieser Musik, ich bin im Einklang mit diesem Gefühl, endlich verstehe ich die Sehnsucht in meiner Brust. Er meint das tatsächlich ernst, dieser Lump mit der immerbraunen Haut, den Rehaugen und dem fast schwarzen Haar. Samuel, der diese ganze Show gar nicht nötig hätte, die Frauen fliegen auch so auf ihn, diesen melancholischen Halbtürken. Samuel tut, als interessiere er sich gar nicht mehr für Frauen. Seit er Türke ist, sucht er die eine große Liebe – als ob das typisch türkisch wäre. Es macht ihn nur noch interessanter, fürchte ich.

Samuel achtet sehr auf sein Äußeres, nur seine Finger sind zerbissen. Wahrscheinlich ist es die Stelle, an der seine Ordnung am augenfälligsten bröckelt: Das Chaos am Ende seiner Finger. Die zurückgekauten Nägel, die blutig gebissene Haut, die in kleinen Fetzen um die offenen liegenden Nervenenden steht. Er hat kaum noch Haut an den Seiten seiner Nägel. Es sind die Räuberhände, die ihn verraten. Ich kenne seine Bewegungen: Er nimmt die Hand zum Mund. Er tippt in einem geheimen Rhythmus jede seiner Fingerkuppen an die Oberlippe. Das macht er ständig, keine Ahnung warum, dann beißt er in kleinen, schnellen Bewegungen in die Haut seiner Kuppen. Immer fängt er am Daumen der linken Hand an und endet am kleinen Finger der rechten.

Mein zwanzigster Geburtstag. Es kommt mir vor, als wäre es ein anderer Sommer, eine andere Zeit.

Wie immer zu Sommerbeginn war Straßenfest in der Innenstadt. Samuel stand vor mir in der Tür, biss sich ein Stück Haut vom Finger und spuckte es mir vor die Füße. Ich sah ihm zu und als er es bemerkte, lächelte er und steckte die Hand mit dem angekauten Finger in seine viel zu lockigen Haare und wühlte darin herum.

»Hab was für dich«, sagte er und kramte mit der anderen Hand in seiner Hosentasche. Eine kleine Blechdose. Er schüttelte sie und machte große Augen.

Und damit hat es angefangen. Manchmal hat Samuel Ideen, die mir völlig fremd sind. Sein Geschenk war eine dieser Ideen. Ich bin nicht allein verantwortlich. Unter normalen Umständen wäre das alles nicht passiert.

Ich habe die Augen geschlossen, den Nacken gemütlich auf der Lehne der Hollywoodschaukel, die Sonne brennt in mein Gesicht, so liege ich da und genieße unseren Abi-Stress. »Simsalabim«, sagt Samuel. »Simsalabim – und es geschah!« Ich blinzele ihn an, manchmal könnte man denken, er tickt nicht richtig. Er grinst und sagt mit seiner Besserwisserstimme: »Weißt du, woher das kommt? Simsalabim? Von meinen Leuten! Weil wir euch im Mittelalter ewig weit voraus waren und hier in Europa, da haben die Leute geglaubt, die Muslime wären Zauberer.«

»Ach so.«

»Nein, weißt du, so richtige Muslime sagen doch immer *Bismillah rahman i rahim,* also *Im Namen Gottes, des Allbarmherzigen,* bevor sie irgendwas besonders Wichtiges tun. Und da haben deine Leute früher echt geglaubt, das wär ein Zauberspruch und haben es nachgemacht, verstehst du: *Bismillah*

– *Simsalabim.*« Er lacht, ich stehe auf und packe meine Sachen zusammen.

Ich sage: »Du hast ja echt den Plan, was abgeht. Im Mittelalter.« Ich gehe zu den Fahrrädern, Samuel kommt hinterher. »Wo hast du den Quatsch schon wieder her? Aus deiner Türkischfibel vom Grabbeltisch?« Samuel grummelt irgendwas. Ich sage: »Abrakadabra – das heißt eigentlich Amen, das hab…«

»Halt's Maul, einfach!«, sagt er.

Zu Hause stopfen wir Essen aus dem Kühlschrank und der Speisekammer in eine alte Plastiktüte. Brot, Dosenfleisch, Milch, Obst und Gemüse, Saft. Mit der Plastiktüte fahren wir dann zum Supermarkt in der Stadt und geben sie Irene. Das machen wir fast jeden Tag so. Meine Eltern wissen natürlich davon und planen es bei ihren Einkäufen großzügig mit ein. Sie verlieren nie ein Wort darüber. Das liegt meinen Eltern: großzügig spenden und kein Wort darüber verlieren. Ich kann sie mir vorstellen, wie sie in der ersten großen Pause gemeinsam im Lehrerzimmer sitzen, der Oberstudienrat und die Oberstudienrätin, gemeinsam einen geheimen Einkaufszettel entwerfen und sich denken, nur denken, sie würden es nicht aussprechen: *es gibt nicht Gutes, außer man tut es*. Und dann tun sie es, sie packen an, sie retten die Welt, so gut sie können, sie bringen den Pennern Vitamine und Ballaststoffe.

Wenn wir kommen, strahlt Irene über das ganze Gesicht. Sie klatscht in die Hände, steht auf und wankt. Ein bisschen wie ein kleines Kind, nur besoffen. Und alle freuen sich mit ihr, alle Pennerfreunde. Weil Samuel das Essen bringt. Er begrüßt jeden einzelnen und sie alle klopfen ihm auf die Schulter und versuchen, gerade zu stehen und nüchtern zu wirken. Mit dem Beutel in der Hand verteilt Irene das Essen und alle wissen, dass es Irenes wohlgeratener Sohn ist, dem sie es zu verdanken haben. Alle mögen Samuel. Mich mögen sie auch, glaube ich. Wenn ich komme, kommt das Essen. Konditionierung. So bringt man Papageien das Sprechen bei: die immer gleichen Tätigkeiten mit einem laut gesprochenen Wort versehen. Irgendwann sprechen sie das Wort dann mit. Meinen Namen kennen die wenigsten. Sie können ihn sich nicht merken. Dabei ist Janik wirklich kein schwieriger Name.

Irenes Stolz in diesem Moment erinnert mich an meine Mutter, als ich in der dritten Klasse nach der Zeugnisvergabe zum Gymnasium gelaufen bin und am Lehrerzimmer geklopft und ihr mein Zeugnis unter die Nase gehalten habe. Klassenbester, sieben Einsen, drei Zweien. Hinterher war es ihr wahrscheinlich richtig peinlich, aber sie hat den Lappen im ganzen Lehrerzimmer rumgezeigt. Irene stolpert auch von Penner zu Penner und verteilt das Essen. So verkehrt kann sie es also nicht gemacht haben in ihrem Leben. Sie schwankt so stolz dann.

Wir schwingen uns wieder auf die Räder und fühlen uns gut, wie wir unter dem schnell leiser werdenden Johlen der Penner in Richtung Neubaugebiet fahren. Wir sind auf dem Weg zu Lina. Manchmal kommt Samuel mit und bleibt in ihrem Zimmer, macht irgendwas im Internet. Lina und ich hängen uns in den Garten. Sie ist vor ein paar Tagen achtzehn geworden, natürlich hat sie nicht gefeiert, ihr Teppich könnte Flecken bekommen. Lina hat manchmal etwas unangenehm Steifes an sich und ich mag sie nicht, wenn ich sie mir zwanzig Jahre älter denke, aber ich weiß ja auch, dass ich nicht mein Leben mit ihr verbringen will, sondern nur noch diesen Sommer. Auch wenn ich ihr das eine erzählen muss, damit das andere klappt. Das ist schon okay. Wir sind fast ein Jahr zusammen, die schöne Lina und ich. Es ist in Ordnung mit ihr, wir reden wenig und küssen viel. Eigentlich dürfte ich niemals mit Lina zusammen sein. Ihre Eltern sind streng und unglaublich spießig. Aber weil mein großartiger Vater zufällig Linas Lehrer ist und ich nun mal der Sohn meines großartigen Vaters, geht das schon. Schon wieder dankbar sein. Ich komme aus gutem Haus, bin anständig und gebildet, ich darf kommen, wann ich will und sogar abends mit Abendbrot essen. Sie geben mir die Hand und lächeln mich an und lassen meinen Eltern stets die besten Grüße ausrichten. Ich hasse, dass sie beim Abendbrot den Käse mit der Gabel nehmen, dass sie Servietten benutzen. Ich hasse, dass sie gebügelte Stofftaschentücher benutzen und dass sie ihren Klodeckel mit Stoff überzogen haben. Ich hasse ihre Eichenholzimitat-Küche und ihre angestrengten Dialoge, am Tisch und an der Tür. Nur der Lehrersohn darf Lina küssen. Kein anderer dürfte das.

Ich hätte Lina längst von Istanbul erzählen sollen. Aber auch heute haben wir kein Wort geredet, nur dagelegen, in den Himmel geguckt und geknutscht. Ich hab versucht, ihre Hand in meine Hose einzufädeln. Sie wollte nicht.

Später gehe ich in die Küche, um Linas Mutter noch *Auf Wiedersehen* zu sagen, höflich, wie ich es in diesem Haus ganz von selbst bin. Sie bietet mir ein geschältes Stück Apfel an und natürlich nehme ich es und lächle freundlich. Meine Oberlippe zuckt dabei, ich bin sicher, sie sieht es.

»Grüß deine Eltern schön«, sagt sie.

»Ja, klar, mache ich, die werden sich freuen.«

»Ach, und«, sie hält mir noch ein Stück Apfel hin, »bring doch Samuel auch eins mit.« Sie lächelt. Sogar für den Pennersohn hat sie noch ein Stück Obst.

»Oh, danke.«

Als ich Samuel das Apfelstück hinhalte, reibt er sich den Bauch. »Mh, lecker! Soll ich kotzen oder was?« Er geht zum

Fenster, öffnet es und ich werfe das Äpfelchen hinaus. Wir lachen ein bisschen und Lina lacht mit.

»Bubu, wie die Scheiße«, meinte Bubu, als er sich mir vorstellte. Ein wirklich ramponierter Typ. Ich kenne Bubu länger, als ich Samuel kenne. Natürlich, Samuel kennt ihn noch länger als ich, über seine Mutter, aber ich kenne ihn besser. Und ich habe ihn selbst entdeckt, ich war elf oder zwölf. Meine Mutter hatte mich Milch holen geschickt, ich stand vor der Kühltheke im Supermarkt und Bubu nur zwei, drei Schritte neben mir. Er machte einen Kakao auf, trank ihn aus und stellte die Verpackung zurück. Ich nahm eine Tüte Milch und ging ihm hinterher. Bubu pflückte sich Weintrauben beim Obst, Radieschen beim Gemüse. Bei den Süßigkeiten riss er eine Tüte mit Keksen auf und schob sich mehrere Male den Mund voll. Ich ging die Milch bezahlen und wartete draußen auf ihn. Als Bubu aus der Tür kam, ließ ich ihm eine halbe Straße Vorsprung, dann lief ich ihm nach. Ich folgte ihm so lange, bis ich Angst bekam, mich zu verlaufen. Dann drehte ich um und brachte meiner Mutter die Milch. Ich traf Bubu immer wieder in den nächsten Wochen. Auch, weil ich viel vor dem Supermarkt rumstand. Wir begannen uns zu grüßen, dann erzählte ich ihm irgendwann, wer ich bin.

Ich halte die Füße still und Samuel tut es auch, weil der glatte, frisch gebohnerte Fußboden der großen Wartehalle quietscht und laut knartscht bei jedem Schritt, den man macht. Wir sitzen und gucken auf den hellgrauen Boden. »Wenn er wenigstens Muster hätte«, sagt Samuel, er meint den Fußboden. Ich lache und weiß nicht, was ich antworten soll. Es ist nur noch stiller, nachdem er etwas gesagt hat. Ich öffne meinen Mund leicht, um nicht durch die Nase zu atmen. Es ist übertrieben, aber ich atme so leise wie möglich, um keine Aufmerksamkeit auf mich zu lenken.

In ungefähr dreißig Minuten geht unser Flieger nach Istanbul, die Stadt Istanbul. Türkei. In gut dreißig Minuten hört etwas auf und fängt etwas anderes an. Wir haben ewig davon geredet, aber ich hätte nicht geglaubt, dass wir keine Woche nach dem Abitur tatsächlich hier sitzen würden. Fliegen wir also nach Istanbul, eröffnen wir ein Café, einen Imbiss oder verkaufen wir Maiskolben am Bosporus. Hauptsache weg hier, wo mich alles an diese wenigen falschen Minuten erinnert, weg auch von Lina, zum Glück. Samuel macht mir keine Vorwürfe, wir reden ja kaum. Manchmal versuchen wir es mit Humor. Es ist gut, dass wir fliegen und neu starten, vielleicht sogar notwendig.

Ich möchte Samuel anfassen, ihn nur ein kleines bisschen berühren, wie zufällig. Aber ich traue mich nicht. Was plötzlich alles anders ist und nicht mehr sicher. Mir fehlt das bisschen Mut, das nötig wäre. Und sei es nur, um endlich aufzustehen, schnaubend zu atmen und unsere Stille in dieser lauten Wartehalle mit einem knartschenden Tanz auf dem glänzenden Plastikfußboden zu zerfetzen.

Er hätte es Lina erzählen können und auch meinen Eltern, hätte sich auf ihr Lieblingssofa setzen und weinen und sich bemitleiden lassen können. Das wäre sein Recht gewesen, verletzt wie er war und vielleicht noch immer ist. Aber der mit den Räuberhänden hat nichts gesagt, ganz selbstverständlich, kein Wort.

Im Flugzeug ist Samuel ein kleines Kind. Er sitzt am Fenster und beobachtet alles ganz genau. Er achtet darauf, nicht aufzufallen, natürlich. Keiner darf seine Aufregung, seine Neugierde entdecken. Aber ich kann sie sehen. Daran, dass er bei aller gespielten Gelassenheit den Blick nicht von dem kleinen Fenster nehmen kann, dass die Hände ineinander verkrampft sind, dass er bei jeder Durchsage erschrickt und die Sicherheitsbestimmungen wieder und wieder durchliest. Er probiert den Klapptisch im Stuhl vor sich aus, klappt ihn runter, befühlt die Fläche, klappt ihn zurück und die linke Augenbraue hebt sich kurz und fast unmerklich. Samuel fliegt zum ersten Mal. Aus seinem Rucksack, der auf seinem Schoß liegt, holt er eine Packung mit zwei Einwegkameras. Mit einer umständlichen Bewegung nimmt er eine der Plastikkameras aus der Packung und grinst mich an. Er befolgt alle Anweisungen: schnallt den Gurt um seine Hüfte, stellt die Rückenlehne aufrecht, er bedankt sich freundlich bei den Stewardessen. Alle zehn Minuten zeigt er mir irgendwas da draußen, eine Wolke, die aussieht, als würde sie aus dem Boden wachsen, einen Stausee oder die scharf geschnittenen Grenzen der unterschiedlichen Felder. Als wir die letzte Schicht durchstoßen und man über ein riesiges Meer aus weißen Wolken blicken kann, dauert es Sekunden, bis er die richtigen Worte findet. Dann irgendwann: »Guck mal, da hinten gucken noch Gletscherspitzen durch.« Ich höre ein krächziges Rattern, dann hat Samuel seine Einwegkamera vor dem rechten Auge. Er macht ganz sicher das schlechteste Foto der Welt: fotografiert durch das kleine, runde Fensterchen die Wolken von oben. Die Kamera knarzt ihr Plastikknarzen, immerhin blitzt sie nicht, dann hätte ich lachen müssen. Ich muss meine Rührung unterdrücken, aber ich sehe es unweigerlich vor mir: wie der Pennersohn seiner Mutter ein Foto von den Wolken von oben zeigt. Und ich möchte ihm über den Hinterkopf streicheln, aber natürlich tue ich es nicht. Ich bin nicht meine Eltern.

[Ich stehe in der frisch gestrichenen Küche. Besenrein, meinte der Hausmeister am Telefon, besenrein werde die Wohnung übergeben. Es liegt Staub in den Ecken und kleine, fingernagelgroße Müllreste, Papierfetzen, Krümel.]

»Merhaba!« Samuel lächelt freundlich. Der Mann in Uniform, der die Pässe kontrolliert, nickt nur einmal kurz zurück. Ich habe das Gefühl, Samuel möchte jeden Einzelnen hier umarmen und begrüßen. Er ist einen halben Schritt schneller als ich. Aus meinem Rucksack hole ich die Zettel mit der Wegbeschreibung zum Hostel.

Als wir in der Straßenbahn sitzen und vom Atatürk-Airport in die Stadt hinein fahren, kommt Samuel schon nicht mehr mit. Er dreht und wendet seinen Kopf, zu schnell fährt die Bahn durch Wohngebiete, vorbei an kleinen Geschäften, Menschen, Autos. Ich erzähle ihm, wo wir umsteigen müssen, aber Samuel ist nicht ansprechbar.

Nach Abzug der Kosten für den Flug bleiben uns noch tausendfünfhundert Euro. Die billigste Unterkunft, die halbwegs akzeptabel erschien, kostet für uns beide hundertzwanzig Euro pro Woche. Da ich davon ausgehe, dass Essen und Trinken hier recht günstig sind, müssten wir eine Weile lang auskommen mit dem Geld. Anderthalb Monate, vielleicht zwei, wenn wir wirklich gut sind, sogar noch länger. Wir brauchen ja nicht viel. Etwa dreihundert Euro wird der Rückflug kosten, die haben wir beiseite gelegt, den Rest gleich in einem Schwung in Lira getauscht, um Gebühren zu sparen. Wie ein achtjähriger Pfadfinder sitze ich jetzt angespannt und unruhig mit über zweitausend Lira in einem Brustbeutel in der Bahn. Von Zeit zu Zeit fühle ich, obwohl ich ganz genau weiß, wie lächerlich es ist, ob der Beutel noch an seinem Platz ist, ob unser Geld noch da ist. Samuel hatte mich schon für den Brustbeutel ausgelacht, ich gebe Acht, dass er jetzt wenigstens nicht sieht, wie ich mir immer wieder an die Brust fasse, und tarne es als Kratzen.

Unser Hostel liegt in einer kleinen kopfsteingepflasterten Straße in Kumkapi. Billig, in der Nähe des Wassers, auf dem Plan gefiel uns die Lage. Von außen ist das Hostel kaum als solches zu erkennen. Ein bröckelndes Gemäuer, klein und zwischen zwei etwas besser erhaltenen Holzbauten geduckt, macht nur eine sehr alte Leuchtreklame auf das Hostel aufmerksam: *Seasight Hostel*, was gelogen ist. Ein dicker Mann mit Bart und einladendem Lächeln hält uns die Tür auf, heißt uns willkommen. Wir checken ein, bezahlen zweihundert Lira für die erste Woche. Ein langer Schlaks mit trüben Augen zeigt uns das Zimmer. Acht Betten, ein kleines Fenster mit Blick auf den zugemüllten Innenhof, an der Decke ein kleiner Ventilator, das Zimmer ist karg und eng und dunkel. Vollkommen egal, wir brauchen nur einen Ort, wo wir die Sachen lassen können und uns in der Nacht. Der Schlaks lehnt im Türrahmen, gähnt und pult sich den Dreck unter den Fingernägeln zurecht. Wir stellen unsere Taschen ab und Samuel schmeißt sich auf die untere Etage unseres Doppeldeckerbetts: »Hier penn ich!«

»Toilet?«, frage ich den müden Typen im Türrahmen und er zeigt mit einem unambitionierten Grinsen auf das kleine Fenster, sagt: »Please open window before use.« Ein Witz. Wir lächeln freundlich. Im Umdrehen sagt er: »Come on, I show you!« Am Ende eines erstaunlich langen Flurs ohne Fenster und Lampe, ist ein Wasch- und Toilettenraum. Zwei Duschen, zwei Klos. »Don't drink the tap water, no good«, sagt er, wir nicken, »we have cheap water down«, er zeigt auf den Boden. »If any question, we are here at all time«, er drückt mir einen Schlüssel in die Hand und schlurft zur Treppe. Samuel hüpft gut gelaunt zurück in unseren Schlafraum und setzt sich auf sein Bett.

»Gut, Alter, haste echt gut gemacht. Perfekt, gefällt mir«, sagt er.

»Ja, ist'n Zimmer, ne.«

»Ja, aber gut. Nicht übertrieben, gute Lage, günstig. Fühl mich gleich wohl hier.«

Ich lächle und glaube, dass ihm alles Recht wäre, Hauptsache Istanbul. Ich setze mich zu ihm und freue mich.

»Mann, Mann«, sagt Samuel, »gut. Gute Sache, hier zu sein.«

Lina. Hinter Linas Lippen vermutet man ganz selbstverständlich gerade, weiße Zähne, weil ihr Mund wie gemacht zu sein scheint für Werbefilme. Aber hinter ihren Lippen ist es vorbei mit der Perfektion. Ihre Zähne sind zwar weiß und groß, aber krumm und schief wie eine Kiste voller Bauklötze. Zwischen ihren Schneidezähnen ist eine Lücke, so groß wie man sie eigentlich nicht mehr sieht, seit es Kieferorthopäden gibt. Diese Zahnlücke ist vielleicht das Allerschärfste an ihr, es macht ihren Mädchenkörper auf einen Schlag um mindestens drei Jahre älter und ordinärer.

Ich frage mich, wie Eltern nur so unpassende Kinder bekommen können. Von außen passt nichts von Lina in das muffige Leben ihrer Eltern. Nicht ihre kurzen schwarzen Haare, nicht ihr feines Gesicht, nicht ihre mädchenhafte Eleganz, nicht ihr Hintern, nicht ihr Schmetterlingsrücken und erst recht nicht ihre Zahnlücke und die krummen Zähne in ihrem Unterkiefer, die aussehen, als hätte man sie mitten im Tanz angehalten und einbetoniert. Solche Eltern, sollte man meinen, würden einem lieber jeden krummen Zahn ziehen, als zuzulassen, dass das eigene Kind schiefe Zähne hat. Unverständlich, wie Lina es geschafft hat, ihre schiefen Zähne durch eine Kindheit bei diesen geraden Eltern zu retten. Das ist etwas, wofür man sie lieben muss, ganz sicher, ganz fest.

»Ich hab nachgedacht«, sagt Samuel beim Abendbrot an dem kleinen Tisch im Wintergarten meiner Eltern. Das war abgemacht, die Testreihe, unser Spiel. Wir spionieren meine Eltern aus. »Ich werde zur Bundeswehr gehen«, sagt er.

Wir haben uns gefragt, wie sie reagieren würden. Sie sehen sich an und wieder weg und sehen sich wieder an, es wirkt, als hätten sie es geübt, sie schmunzeln ein bisschen, so wenig wie möglich, man soll es nicht sehen, nicht ahnen.

»Wenn du meinst«, sagt mein Vater, den nichts aus der Ruhe bringt. Mehr nicht. Mehr braucht er nicht zu sagen. Er sagt es und sieht meine Mutter an und sie wissen beide, dass sie es ihm austreiben werden. Dass es ihnen gelingen wird. Sie werden nichts verbieten, sie werden nicht laut werden müssen. Sie werden ihn überzeugen auf eine Art, dass er meint, er wäre von selbst zu dem Entschluss gekommen, dass Bundeswehr doch nicht das richtige für ihn sei. Sie sind sich sicher und sie können sich sicher sein. Und darüber schmunzeln sie, sitzen da, essen schon wieder. Keine Entrüstung, keine Leidenschaft, nichts und nie, nur Überlegenheit. So wird man perfekt. Sie erziehen Samuel, obwohl er nicht ihr Kind ist. Sie erziehen jeden.

Früher habe ich mir oft gewünscht, dass wir überfallen werden. Dass jemand in unser Haus kommt, in unser Leben, dass jemand diese ganze liebevolle Ordnung durchwühlt und verheddert, in unserer Privatsphäre schnüffelt und seine Spuren hinterlässt. Einer, der ihnen die Sicherheit nimmt. Ich wollte, dass etwas passiert, damit sie sich nicht so widerlich sicher fühlen. Ich habe mir gewünscht, dass wir überfallen und geschändet werden, damit wir merken, dass wir verletzbar sind, dass alles zerbrechen kann, wenn man nur hart genug darauf schlägt. Ich wollte, dass er uns fesselt in unserer eigenen Wohnung, gegen die Heizung zum Beispiel, auf der wir früher im Winter gesessen und Kakao getrunken haben, damit sie später wie ein großer weißer Feind in unserer Küche stehen könnte und wir uns nicht mehr trauen würden, uns darauf zu setzen.

Manchmal habe ich Samuel um seinen Vater, den keiner kennt, beneidet. Ich wollte rumspinnen, wie der mit den Räuberhänden. Sein Vater ist eine riesige Leinwand, auf der jeder Film laufen kann. Egal, was Samuel an sich entdeckt, er kann es glauben und ernst nehmen, er kann alles werden, weil sein Vater alles sein kann.

Es sind nur ein paar hundert Meter bis zum Wasser des Marmarameers. Wir setzen uns auf das Betonufer, studieren den Stadtplan, den der Wind immer wieder hochschlägt. Hinter uns eine große Straße, die Autos rauschen in unserem Rücken. Wenn wir reden, reden wir laut, rufen beinahe in den Wind, das Brausen, die Sonne. Der erste Überblick, Pläne für die nächsten Tage.

»Was willst du sehen«, rufe ich.

»Weiß nicht, laufen, laufen«, lacht Samuel und ich sehe ihm an, wie schwer es ihm fällt zu sitzen.

»Ja, wohin?«

»Hier«, zeigt er, »die Brücken auschecken, rund um die Brücken, Eminönü, Kücükpazar, Karaköy, Şişhane, so die Ecke, lass da mal zuerst gucken. Und hier, da muss ich auch hin: Beyoğlu, Taksim.«

Sein Finger fährt wild über den Plan, über uns kreischen Möwen, ich sehe ihn gern an, wenn er ist wie jetzt. Wenn ihn die Ideen durchzucken, wenn man seinen Aufbruch sehen kann, seine Lust, die Neugierde.

»Alles klar«, sage ich, »dann mal los, oder? Ist ja gut Strecke.«

Er boxt mir mit der Faust auf die Schulter. Er steht schon, springt auf die Steine vor dem Betonufer und hüpft von Stein zu Stein. »Laufen wir außen rum, um den fetten Palast«, ruft er in Richtung des Meers, »immer am Wasser lang.« Er springt wieder zurück, wir laufen nebeneinander.

»Wär so geil, wenn wir was direkt am Goldenen Horn finden würden.« Er meint einen Laden, ein Haus oder eine Garage. »Stell dir das mal vor: wir beide, ganz gechillt am Goldenen Horn.«

Sein Lachen, seine Augen jetzt. Was gestern, was vorgestern war – verflogen, vergessen und weg. Hier geht es, hier klappt es: wir. Ich wusste es. Wie sollte auch irgendetwas uns wirklich stören können. Istanbul wird die letzten Zweifel verwischen, Istanbul wird uns heilen, uns bestätigen. Hier können wir uns bauen, ausbauen, hier haben wir den Platz. Es liegt in dieser warmen, windigen Luft und in seinen braunen Augen, die wie für diese Stadt gemacht sind.

Ich sitze im Café und sehe Irene von weitem zu. Samuel hat mich schon einmal erwischt, wie ich seine Mutter beobachte, ich will nicht, dass er mich noch mal dabei sieht. Er würde es nur wieder falsch verstehen. »Du bist nicht im Zoo und sie ist kein Tier«, hat er damals gesagt und war scheißwütend. Das muss nicht noch mal sein. Ich trinke Kaffee und sehe ihr ins Gesicht, sehe sie lächeln, wenn man ihr Geld in die Hand legt, ein geschäftiges Lächeln, das sie sich zugelegt hat.

Sie ist fahrig in ihren Gesten, eilig und wirkt wie nicht bei der Sache. Hin und wieder bleibt einer stehen und legt ihr

Kleingeld in die Hand und beginnt mit ihr zu reden. Ich weiß, was sie redet dann: Sie hängt einige Fetzen ehemals kluger Gedanken aneinander, Sätze aus ihrem alten Leben, Sätze, bei denen sie sich erinnert, dass die Leute genickt haben und ihr zustimmend auf die Schultern geklopft haben, sie nimmt die Reste dieser Sätze und umwickelt sie mit aktuellem Tagesgeschehen, das sie auf der Straße aufgeschnappt hat oder in einer Zeitungsüberschrift gelesen hat. Dann spuckt sie ihre eiligen drei Sätze aus, holprig und halb und hebt die Hand zum Abschied. Denn eigentlich sollen sie weitergehen und nicht reden. Ihre schlechte Haut, das fettig strähnige Haar. Man braucht eine Weile, aber dann kann man erahnen, wie sie einmal ausgesehen haben könnte. Und in den Sätzen, die sie sagt, kann man von Dingen hören, die sie früher einmal gedacht haben mag.

Ich habe nur eine Handvoll Male bei Samuel geschlafen und ich kenne Irene nicht sonderlich gut. Aber ich mag sie. Sie ist gut und nett, nur im Grunde ihres Wesens unfähig, sich zu organisieren. Sie schafft es aus irgendeinem Grund nicht, sich aufzulehnen, sich ein Ziel zu setzen und sich Schritt für Schritt auf den Weg dahin zu machen.

Vielleicht ist sie keine gute Mutter, aber sie ist auch keine schlechte. Sie würde ihrem Kind niemals etwas antun, sie würde es immer schützen, so gut sie könnte. Ich habe einmal erlebt, wie sie gekämpft hat. Für Samuel. Wie eine Löwenmutter. Samuel und ich waren in die siebte Klasse gekommen und hatten uns gerade erst kennen gelernt. Zwei Mädchen haben einem anderen Mädchen ein paar Sachen geklaut und sie in Samuels Schulranzen gesteckt. Dann haben sie erst das Mädchen auf die fehlenden Sachen aufmerksam gemacht und danach dem Lehrer erzählt, wie sie Samuel vorhin an der Tasche des Mädchens gesehen hätten. Samuel musste also zum

Direktor und unser Lehrer hat ihn vor der ganzen Klasse fertig gemacht. Obwohl Samuel darauf bestanden hatte, dass er es nicht gewesen war und das einzige Indiz die Sachen in seiner Tasche waren. Heute denke ich, unser Lehrer wollte ihn erziehen. Ich glaube, er sah sich in der pädagogischen Pflicht, dem Pennersohn mal deutlich aufzuzeigen, was Recht und Unrecht war. Ich weiß noch, wie er unermüdlich von Wand zu Wand lief und in einer ungewohnten Tonhöhe und Lautstärke von Gemeinschaft und Verantwortung sprach, von Verwahrlosung und Verrohung, von Werten und Moral. Er hatte einen roten Kopf und überhörte die Pausenklingel.

Nach der Schule bin ich ohne zu zögern auf Samuel zugelaufen. »Ich war das nicht«, sagte er sofort und hob seine Hände »ich kann's gar nicht gewesen sein!« Ich habe ihm sofort jedes Wort geglaubt. Er redete, ich nickte und wir liefen nebeneinander her, als gehörten wir zusammen. Plötzlich blieben wir stehen, wir standen vor seiner Tür, ich war bei ihm zu Hause. Samuel ging vor, wie selbstverständlich ging ich mit und sah den ganzen Dreck. Diese Mutter, die aussah wie ausgewrungen. Wir standen kurz in der Küche, Samuel erzählte. Ich saß nur, hörte zu und guckte, ich sah Irenes Augen und wie sie plötzlich aufwachte. Ich fühle noch ihre kraftvolle Hand um meinen Unterarm – wie sie uns beide damals packte und uns vor die Haustüren der Mädchen zerrte.

Sie klingelte und sah die Mädchen an, sah sie einfach an, lange und durchdringend mit ihren wilden Augen. Dann beugte sie sich vor und zischte: »Sag die Wahrheit!« Mit einer zitternden und zugleich vor Wut bebenden Stimme sagte sie es und wiederholte es immer und immer wieder, brachte die Mädchen zum Heulen und zwang sie zum Geständnis vor ihren schockierten Eltern. Sie zog uns und die Mädchen beherzt weiter zum Haus des Direktors, stellte sich auf und sagte kein einziges Wort, stand nur mit verschränkten Armen und ließ die Mädchen reden. Zuletzt machten wir uns auf den Weg zu unserem Lehrer. Irene blinzelte ihn finster an und sagte: »Ich gehe nicht, bis der Herr Lehrer sich bei meinem Jungen entschuldigt hat.« Er entschuldigte sich, mit rotem Kopf. Danach gingen wir zu McDonald's, wo wir uns jeder ein ganzes Menü reinschaufelten und zwei Eis. Obwohl es ja überhaupt nicht um mich ging, fühlte ich mich beschützt und behütet, auf so einfache und direkte Weise, wie ich mich an kein zweites Mal erinnere. Ich bin mir sicher, dass Samuel an diesem Nachmittag stolz auf seine Mutter war. Er lief gutgelaunt neben ihr her und ich glaube, dass er froh war, dass ich dabei war, dass ich das alles miterlebte und bezeugen konnte, dass seine Pennermutter auch ein guter Mensch war. Damals kam sie mir ein bisschen vor wie eine Löwin, das kann man sagen. Nur war das Muttersein wie ihre Sätze heute: zu kurz, unfertig, halb.

Der erste Tag in Istanbul. Der erste Abend und die erste Nacht. Mit kleinen Schritten, erschöpft und glücklich und zu zweit suchen wir den Weg zurück zu unserem Hostel. Wir steigen die Treppe hinauf, in unserem Zimmer liegt ein zweistimmiges Schnarchen, wir trauen uns nicht, das Licht anzuknipsen. Samuel dreht sich um und grinst, ich sehe seine weißen Zähne im Dunkel. So leise wie möglich wühlen wir in unseren Taschen und gehen in den Waschraum. Wir stehen nebeneinander, Zahnbürste im Mund, mit unseren nackten Oberkörpern und wieder sehe ich, wie weiß ich bin im Gegensatz zu Samuel. Wie müde wir beide aussehen. Samuel lächelt, er dreht sich und wischt den Schaum, der an seinen Lippen ist, kommentarlos an meiner Schulter ab. Ich nehme die Zahnbürste aus dem Mund und sehe ihn ernst an, er tut ängstlich. Ich klatsche meine Zahnbürste gegen seine dunkle Brustwarze. Er rollt die Augen, dass ich es im Spiegel sehen kann. Wir spielen müde Spiele. Als wir im Bett liegen, er unten und ich in der Etage über ihm, wackle ich mit den Beinen hin und her, dass das ganze Bett in Bewegung ist und das alte Metall quietscht, er drückt mit dem Fuß von unten gegen meine Matratze. Das Gefühl ein bisschen wie auf Klassenfahrt, nur ohne Lehrer, ohne Plan, nur für uns.

»Gutnacht«, sage ich.

»Gutnacht«, sagt Samuel. »Warte, eine Frage noch.«

»Was?«

»Wenn sie schwanger ist, darf ich dich dann Papa nennen?«

Er wiehert tonlos. Derbe Witze, aber immerhin Witze, denke ich.

»Klar, mein Kleiner, darfst du auch so.«

»Fick dich und jetzt schlaf den Schlaf der Gerechten, den kannst du brauchen, weil du morgen auf die Fresse kriegst.«

Was ich an meinem Vater am liebsten mag, ist seine linke Hand, die Quallenhand. Angeblich haben sich meine Eltern so kennen gelernt: Ein Haufen Freunde am Strand, sie hatten noch kein Wort miteinander geredet, als sie zusammen an einem VW-Bus standen und mein Vater sich in der Tür abstützte, die meine Mutter mit aller Wucht zuschlug. Seine Hand war vollkommen zerstört, jeder einzelne Knochen gebrochen und das Fleisch durch die Haut geplatzt, es leuchtete ihm rot entgegen. Alle Sehnen und Adern seien zerfetzt gewesen, hat er erzählt und sicher übertrieben. Der Unfall ist jetzt ein gutes Vierteljahrhundert her und er kann die Hand wieder normal benutzen, fast alle Funktionen sind wiederhergestellt. Eine chirurgische Meisterleistung, wie er nicht müde wird zu betonen.

Als ich klein war, habe ich mich vor seiner Hand geekelt und musste sie mir doch ständig ansehen. Saß auf seinem Schoß und hielt seine Hand in meinen, drehte und wendete und sah sie mir immer wieder an: die vielen kleinen Adern, die in komische Richtungen laufen, die gespannte Haut wie die einer Brandblase, die Fingerspitzen, an denen hauchdünne Nägel wachsen, die aussehen als könnten sie jederzeit durchbrechen oder aufreißen, wenn man nur etwas zudrücken würde. Die Linke sieht aus wie eine in Handform genähte Qualle. Einmal habe ich es im Streit gesagt: Quallenhand. »Du mit deiner Quallenhand!«, um ihn zu verletzen.

Irgendwann hat er mir mal erzählt, dass er froh ist, dass es seine Linke ist und nicht die Rechte. Ich habe ihn fragend angeguckt, weil ich es nicht verstand, er ist Linkshänder.

»Weil ich sie nicht jedem hinhalten muss, zum Gruß.«

Natürlich grüßen alle Linkshänder auch mit rechts, darüber hatte ich nie nachgedacht.

[Ich laufe durch ihre Wohnung, ein letzter Blick, ich schließe alle Fenster. Gleich die Schlüsselübergabe. Außer in der Küche ist der Geruch geblieben, obwohl die Wohnung komplett ausgeräumt ist und wir gelüftet haben. Dieser eine Geruch.]

»Achtung, fertig, los!« Seine Augen funkeln, seine Füße landen, er fetzt vorbei an den hunderten von Anglern auf der Galatabrücke. Es sind vierzig Grad oder wenigstens fühlt es sich so an, schon jetzt, kurz vor Mittag. Samuel ist wendig, schnell und grazil. Er weicht den Anglern, Passanten und Ruten aus, als ginge es darum, einen Parcours hinter sich zu bringen, er dreht den Kopf, sieht mich hinter sich und schreit irgendwas. Neben uns kreischen die Autos, wirbelt der Staub, dröhnen Auspuffe. Es riecht nach Wasser, nach Seeluft, nach Abgasen, Samuel rennt und rennt und plötzlich bleibt er stehen, kurz hinter der Mitte der Brücke. Langsam und betulich holen die Angler ihre Paternoster ein, pflücken die lächerlich kleinen Fische ab und werfen sie zu den anderen zappelnden Winzlingen in die großen Joghurteimer. Samuel zieht sein T-Shirt hoch und über den Kopf, wie ein Fußballer beim Torjubel, steht und glänzt und streckt die Arme in die Luft. Er lacht, ich bremse meine Schritte, komme neben ihm zum Stehen, ich reibe seinen Bauch, fühle den Wind auf der Haut. Mein Körper pumpt Schweiß aus den Poren. Das Glück ist so einfach. Wir stehen, mit Puls im Ohr, ich weiß, Istanbul war das Beste, was uns passieren konnte. Wir gehören hierher, wir schwimmen obenauf. Die Angler, die Passanten, die Autofahrer gucken, einige lächeln. Ich denke: Ihr könntet auch den Kopf schütteln. Das hier ist unser, das alles ist unser, das nimmt uns keiner und es kribbelt in meinem Bauch. Ich fühle, dass alles gut ist und noch besser wird, ich drehe mich, meine Arme fallen aus der Luft hinab um Samuel, ich drücke ihn an mich, fühle seine feuchte kühle Haut und die dahinter liegende Wärme, er atmet noch immer schnell. Meine Augen sind geschlossen, ich drücke die Seite meiner Stirn gegen seine Schläfe, krümme meinen Körper leicht, wie man seinen Körper in die Bettdecke wickelt. Und Samuel dreht sich in einer sehr exakten, gezielten Bewegung aus mir heraus. Eine winzige Windung, seine Hände stoßen meine Hüfte von sich. Er sieht mich an, mit Unverständnis. Kurz stehen wir da, noch immer sind Blicke auf uns gerichtet. Ein Hauch von Scham zündet an meinem Nacken, läuft über meinen Rücken. Ein fast vergessenes Gefühl: einer leichten Peinlichkeit ausgesetzt zu sein, wie wenn man sich als Zehnjähriger zu viel getraut hat und mit einer zu coolen Hose in die Schule kommt und keinen Rückhalt hat zum Beispiel, oder wenn man zu wild getanzt hat und plötzlich bemerkt, dass die Leute einen belächeln. Samuel hätte lachen können, seinen Arm um meinen Hals legen und mich weiter ziehen, aber er hat mich von sich gedrückt, sich umgesehen, wie als wollte er mit dem, was ich aus dieser Situation gemacht habe, nichts zu tun haben.

Wir laufen zum anderen Ende der Brücke. Das ist die neue Sensibilität. Ich beobachte, analysiere, ich bewerte, wir sind so empfindlich miteinander, als hätten wir uns aneinander wund gerieben. Ich räuspere mich, als wollte ich etwas sagen. Samuel sieht mich an, aber nur halb, er geht vor. Am Ende der Brücke, zur linken Seite des Ufers, steht ein kleiner, alter Mann und verkauft von seinem winzigen Wagen Filterzigaretten, Blättchen und drei verschiedene Sorten losen Tabak aus kleinen Säcken. Samuel spricht den Mann an, lässt sich, wie ich vermute, die verschiedenen Sorten erklären, sein Türkisch ist erstaunlich gut, finde ich, jedenfalls kann er Gespräche führen. Das hätte ich ihm und diesem kleinen abgegriffenen Büchlein, aus dem er gelernt hat, nicht zugetraut. Ich verstehe nicht, was sie reden, aber die vielen schnellen Gesten verdichten sich zu einer Art Pantomime. Ich drehe mich um und sehe zurück. Die Stelle, an der wir eben standen, flirrt vor Hitze. Die Fischer schwimmen in der heißen Luft. Schon vorher hatte ich manchmal das Gefühl, diese Hitze würde mich auf eine mir etwas geheimnisvoll erscheinende Weise abtrennen vom echten Treiben der Straßen, auch von Samuel und allem, was geschieht.

Er stößt mich an, ich drehe mich um, wir gehen. Er hält mir den Tabak zum Riechen hin, sagt: »Da vorn am Ufer, lass uns Schatten suchen«. Ich lächle ihn an, lächle nur. Als wir uns auf das vertrocknete Gras setzen, riechen wir die Fische, die ein paar ältere Männer nur einige Meter neben uns über einem winzigen Feuer zwischen zwei Rosten braten. Wir sind umgeben von Sonnenblumenkernschalen. Samuel dreht eine Zigarette, langsam, ruhig und etwas unbeholfen. Dann lehnt er sich zurück gegen den Stamm des Baumes, steckt sich langsam und betont lässig die kleine Zigarette in den Mund, er hat keine Eile, lässt sie im Mundwinkel hängen, wie die vielen alten Männer auf den Straßen, die ihre Zigaretten nie berühren, während sie rauchen. Sie stecken sie nur an und paffen sie in kleinen Zügen auf, tragen die Stummel bewegungslos im Mundwinkel, die dort mehr und mehr zu Asche werden. Ich sitze, rieche, lausche, vor und hinter uns Stadt, Stadt, Stadt. Zu allen Seiten ein nicht enden wollendes Häusermeer, die kleinen Wellen des beschützten Goldenen Horns, es geht ein leichter Wind, der der Hitze etwas Versöhnliches gibt und Samuel steckt sich endlich die Selbstgedrehte an. Er nimmt einen Zug, inhaliert lange, die Hände in den Hosentaschen, nimmt einen zweiten, vor uns fährt eine Fähre vorbei, die Zigarette brennt ungleichmäßig ab, Samuel nimmt einen dritten und reicht mir, ohne mich anzusehen, den Rest rüber, stöhnt dabei leicht, ein entspanntes Stöhnen, ein genießerisches Stöhnen, das vielleicht mehr ein zu lautes Atmen ist. Ich muss an Cowboyfilme denken.

Lina und ich liefen durch den Park. Sie hatte einen Rock an, der lose um ihre dünnen Mädchenbeine flatterte und nicht zu ihren Knien reichte, bunt gestreift. Ich musste mich konzentrieren, nicht nur zu gucken. Es war vielleicht das zweite oder dritte Mal, dass wir nach der Schule einfach noch zusammen durch die Gegend liefen. Wir wussten nicht so richtig, wohin, also liefen wir durch die Innenstadt zum Park. Lina erzählte irgendwas, an das ich mich nicht mehr erinnern kann und sah sich um. Sie sah hinter sich, zwischen den Bäumen hindurch und hörte nicht auf, dabei zu erzählen. Plötzlich ging sie vom Weg ab und lief auf einen Baum zu. Wie ein zu hübscher Affe, elegant und flink, kletterte sie auf den Baum, hängte sich an einen Ast und quietschte, so als sei es unfassbar amüsant, an diesem Ast zu hängen. Ich guckte mir Lina von unten an.

»Kann deinen Hintern sehen.«, sagte ich.

»Und mein Hintern dich«, rief Lina. Sie wackelte mit ihren Pobacken und sagte mit tiefer Stimme: »Hallo, Janik!«

»Warum hat'n dein Hintern so ne tiefe Stimme?«, fragte ich. Lina lachte und ließ sich fallen, sie landete in der Hocke, lief dann einfach los und ich dackelte ihr hinterher.

»Ärsche sind Männer und Männer sind Schweine«, sagte sie und blieb stehen. Ich furzte mit den Lippen. Sie beugte sich vor, küsste mich leicht auf die linke Seite des Mundes und die rechte Seite meiner linken Wange und ich fragte sie, ob wir nicht vielleicht vögeln wollten. Lina schüttelte den Kopf und lief an mir vorbei. Ich sah ihr einen kurzen Augenblick nach, dann ging ich hinterher.

Was Irene ihm einmal erzählt haben muss: Dass dieser Mann, der sein Vater sein soll, Türke ist, natürlich, dass er die große Liebe ihres Lebens gewesen sei, und dass sie sich nur selten sehen konnten, weil er, als sie sich kennen lernten, schon verheiratet war mit einer anderen.

Samuel sagt, Irene habe gesagt, sein Vater sei der einzige Mann gewesen, mit dem sie sich je ein gemeinsames Leben hätte vorstellen können. Sie hätten Pläne gehabt, wild geträumt. Ja, er hatte eine Frau, aber er wollte sie verlassen, weil er Irene so sehr liebte, dass er um jeden Preis mit ihr zusammen sein wollte. Und dann sei er nicht mehr gekommen, sei einfach nicht mehr gekommen. Ich weiß noch, wie Samuel mir davon erzählte, in diesen seltsamen, sperrigen Worten und Sätzen. Und ich erinnere mich, wie er dann die Schultern zuckte und weiter erzählte, plötzlich beiläufig und wie ein tropfender Wasserhahn.

Sie habe zu dem Haus gehen wollen, zu der Wohnung, wo er mit seiner Familie wohnte, aber sie habe gar nicht gewusst, wo das genau war und auch nicht wie er hieß, nur den Vornamen wusste sie: Osman. Und dann sei irgendwann ein Brief gekommen, nach Monaten, ein lumpiger Brief, nicht einmal eine Seite lang, in dem er sich entschuldigte und erklärte, dass er in die Türkei ausreisen musste, zum Militär, und dass er sich melden würde, sobald er wieder in Deutschland sei. Aber Osman hat sich nicht gemeldet. Der Stempel des Briefes ist aus Istanbul und von 1986, dem Jahr, in dem auch wir geboren sind.

Ich denke, wenn ich mir diese Geschichte heute durch den Kopf laufen lasse: Es ist einfach, von einer Liebe, die sich nie hat beweisen müssen, zu behaupten, sie sei die einzig wahre, die einzig echte, große Liebe gewesen. Und alles spätere Scheitern als ihre Folge zu betrachten.

Im Sommer trägt Irene kurze Hosen. So kurz, dass es fast Hotpants sind, aber doch einen Tick länger, mit Reißverschluss und Knopf. Sie hat noch heute glatte braune Beine, eine gute Haut, nur inzwischen übersät mit feinen hellen Narben, blauen Flecken, Blutergüssen. Ich kann mich erinnern, dass ich früher, in den ersten Jahren mit Samuel, nur schwer den Blick von diesen Beinen nehmen konnte, die damals noch glatter, weicher, eleganter waren. Ich habe Irenes Beine angeglotzt, über Stunden manchmal. Mochte es, wenn sie neben mir saß und ihr glattes, warmes Bein an meines stieß. Ich habe ihre Berührungen auf eine heimliche Weise genossen, manchmal provoziert und auch später noch viel daran gedacht. Irenes Beine waren die ersten wirklich erotischen Berührungen, an die ich mich erinnere.

Irene hatte schon damals etwas Verbrauchtes an sich, obwohl sie jünger ist als meine Eltern. Sie war mir so fremd in ihrer Einstellung zum Leben und gleichzeitig so seltsam nah für einen Erwachsenen. Irene hatte nicht vor, irgendwem die Welt zu erklären. Sie machte einfach und man konnte mitmachen oder es sein lassen. An Irene habe ich immer gemocht, dass sie keine Predigten hielt.

An diesem Abend, meinem Geburtstag, hatte ich eine Kraft in mir, eine überbordende Kraft, von der mir ein bisschen schwindelig wurde. Wenn sie ein Zentrum hatte, diese Kraft, dann lag es mit ziemlicher Sicherheit knapp unterhalb der Rippen. Von dort aus strahlte es in alle Richtungen. Keine Ahnung, ob von außen etwas zu sehen war. Ich fühlte mich gut. Leicht, schön, stark, klug. Gut eben. Allem gewachsen. Wir machten nichts, als durch die Straßen zu laufen und zu lächeln. Gucken, laufen, lächeln. Das reichte uns eine ganze Zeit lang. Die Straßen waren voller Menschen und wir kamen uns leicht vor, wie schwebend. Wir liefen wie von der Bühne nach einem ganz großen Auftritt. Die Musik von den Buden war unser Soundtrack, die vielen Schritte, die Stimmen, die Anstoßenden, das zischende Bratfett, Popcorn, Liebesäpfel und Marktschreier. Lose, Luftballons und Gedränge. Berührungen aus Platzmangel, alle zehn Zentimeter ein neuer Geruch, mehr Menschen als Herzschläge pro Minute.

»Danke«, hatte ich gesagt, als Samuel mir das Blechdöschen mit den schrumpeligen Pilzen unter die Nase gehalten hatte, »was ist denn das?«

»You always start with mexican«, hatte Samuel gesagt und sich knapp die Hälfte der Pilze in den Mund gestopft und gekaut und gegrinst. »Happy birthday«, hatte er noch genuschelt, dann waren wir aufs Straßenfest gegangen. Und eine Stunde später sind wir ein zweites Mal angekommen.

Unser Feuer zittert im Wind, der über das Marmarameer geht. Wir sitzen auf den großen Steinen direkt am Wasser, unter uns ist eine ebene Fläche in die großen Brocken betoniert, hier können wir sitzen, Feuer machen, rauchen. Über uns laufen die Wolken schnell, das Wasser gurgelt in den Spalten der Steine, die Flammen knistern im Holz. Wir rösten Maiskolben, trinken Raki in kleinen Schlucken. Wenn Wolken über der Stadt stehen, ist die Nacht heller, weil sie das Licht reflektieren. Hier sitzen wir an der Lichtgrenze. Über dem Marmarameer ist es dunkel, sind die Wolken schwarz und direkt über uns beginnen sie sich in das matte, gräuliche Rosa zu verfärben, in dem sie über Istanbul hinwegziehen. Überall am Ufer kleine Gruppen, mit Feuer, hier und da Musik, mal blechern aus dem Handy, mal spielt einer Gitarre, Saz, klopft ein anderer einen Rhythmus auf den Stein, singen Männer so, wie Samuel gern würde singen können, weil er denkt, dass es zu ihm passt. Ein Wirrwarr der Laute, wie das Wirrwarr der Gerüche und der Zeiten in dieser Stadt.

»Hey, du großer Osmane, wie sieht's eigentlich aus?«

»Ja, sind gleich fertig«. Er meint die Maiskolben.

»Nee, ich mein die Ladies.«

»Ja, was?«

»Wie macht man die denn hier klar? Sind wir nicht auch hier, um ne Braut für dich zu finden?«

»Halt die Klappe«, er grinst.

»Im Ernst, Mann: deine große Liebe. Wo kann es deine große Liebe sonst geben, wenn nicht hier in T-T-Türkyie. Redest doch dauernd von der großen Liebe. Aber wahrscheinlich muss man selbst als Osmane in der Türkei baggern, um Frauen kennen zu lernen.« Samuel stochert im Feuer rum und bugsiert die Maiskolben heraus, gibt mir einen.

»Weißt du, ich als Ur-Deutscher hab einfach keinen Plan davon, wie man eine verschleierte Frau anmacht, aber du mit deinem echt türkischen Charme wirst das sicher wissen, oder?«

»Halt die Klappe.«

Ich grinse. »Was denn los?«

Er beißt in den Maiskolben, der viel zu heiß ist, lässt es, pustet.

»Ja, du bist echt witzig, ist gut jetzt.«

»Nein, ich mein das ganz ernst.«

»Ja, und ich mein das auch ganz ernst und jetzt sei einfach ruhig.«

Es bleibt dabei: Man macht keine Witze über seinen Entschluss, den er vor ungefähr einem Jahr plötzlich gefällt hat, nur eine Frau in seinem Leben zu wollen. Man macht keine Witze, auch nicht in Istanbul, einfach nie. Da versteht der mit den Räuberhänden einfach keinen Spaß.

Bubu und ich, wir waren keine Freunde oder so. Ich habe mir früher immer vorgestellt, dass wir wie zwei Hühner in einem Gehege waren, und wenn es sich ergab, pickten wir eben in derselben Ecke, hockten uns in denselben Schatten. Wir gingen uns nicht auf die Nerven, das war es. Wir hingen manchmal miteinander rum, nicht oft, und es dauerte ewig, bis ich endlich zu ihm sagte, dass ich ihn gesehen hatte, vor Wochen im Supermarkt. Dass ich ihn beim Klauen gesehen hatte.

»Beim Essen hast du mich gesehen«, sagte Bubu, »Mundraub«. Ich schüttelte den Kopf und Bubu nickte. »War ja noch genug für die anderen übrig.«

[Im Wohnzimmer, vor dem Heizkörper, ist auf dem Fußboden ein dunkelbrauner Fleck, nicht viel größer als meine Handfläche. Das ist alles, mehr ist nicht zu sehen. Man wird sowieso alle Teppiche herausreißen müssen und die Tapeten von den Wänden, alles renovieren, abgesehen von der Küche vielleicht.]

»Zeig mal her«, sage ich und nehme Samuel den Karton mit den Fotos weg. Er lacht und nimmt einen Schluck. Wir sitzen auf seinem Bett in der Wohnung seiner Mutter. Der mit den Räuberhänden hält Ordnung. Wenn meine Eltern das sehen könnten. Sie würden weinen vor Rührung. In der Küche stapelt sich das Geschirr, in den Ecken der Zimmer liegt immer etwas Müll, das Bad ist dreckig, siffig, aber in Samuels Zimmer ist gestaubsaugt. Hier herrscht Ordnung. Hier sammelt und sortiert er seinen Kram in kleinen Boxen und Kartons, die er von außen beschriftet, überall stehen Pflanzen und Duftkerzen, hängen Kräuterbeutel. Samuel schließt sein Zimmer immer ab.

Er guckt aus dem Fenster und denkt irgendwas. Im Hintergrund dudelt türkischer Pop. Wenigstens singt Samuel nicht mit. Es ist fast ein bisschen kitschig. Wir zwei auf dem Bett, das alte Foto in der Hand, die Musik, die Sonne durch das Fenster, wir trinken Wasser und kein Bier.

Ich weiß nicht, ob es an mir liegt oder an ihm oder an der Situation, dass es mir so vorkommt. Aber Samuel bewegt sich wie in Zeitlupe. Nickt und lächelt und nickt und hebt die Flasche zum Mund und trinkt und das Sonnenlicht fällt in die Flasche und es glitzert und bricht sich in alle Ecken des Zimmers und er setzt die Flasche wieder ab und dreht den Kopf zu mir, langsamer als sonst, langsam, wie Zeitlupe und nickt schon wieder.

»Kannst mal sehen«, sagt er, »ne richtige Familie«.

Ich gucke ihn an, dann das Foto in meiner Hand.

»Ihr habt Urlaub gemacht?«

»Klar. Familienurlaub. In Österreich im Winter.«

»Skifahren?«

»Naja. Nee, nicht so richtig. Aber ich bin Schlitten gefahren.«

»Wie alt warst du da?«

»So vier, fünf.«

»Verrückt. Sie sieht voll gesund aus auf den Fotos.«

Irene trägt einen Skianzug. Ihre Haare sind schwarz gefärbt und zu einem Zopf gebunden. Sie lächelt in die Kamera. Sie lächelt für die Kamera. Sie hat sich was Warmes gegen die Kälte angezogen. Sie hat ihre Haare gemacht. Es gab eine Zeit, da hat sie Vorkehrungen getroffen, da hat sie sich gewehrt und sich nicht einfach geschehen lassen. Vielleicht war sie damals erwachsen. Auf dem Foto hat sie ein Band in der Hand, mit dem sie den Schlitten zieht, auf dem Samuel sitzt, der seinen Mund verzieht, wie man es kennt. Sie hat ein frisches Gesicht, lächelnd, rote Wangen, die spitze Nase. Ihre Haut war einmal jung, das ist erst ein paar Fotos her.

»Wie ist es denn dann gekommen?«, frage ich.

»So mit der Zeit«, sagt Samuel, »ich hab's erst gar nicht gemerkt. Erst als es mir peinlich wurde, wenn sie mich abgeholt hat irgendwo.«

Wir sitzen im roten Licht des Abends auf dem trockenen grünen Streifen Gras gleich hinter der neuen Galatabrücke. Noch immer Zeit für T-Shirt, barfuß, Blinzelblicke. Vor uns treiben Plastiktüten im leichten Wind, stehen die Möwen über dem Wasser, ein Kranich landet, Familien, frisch Verliebte, Einzelgänger und Rentner treiben vor und hinter uns entlang, hier und da steigt Rauch auf, grillen, rösten, kochen kleine Gruppen duftendes Essen. Wir sitzen, Samuel glüht vor Freude, grinst, dass seine weißen Zähne blitzen. Das Licht ist wie aus einem Reiseprospekt, man findet alles schön in solchen Augenblicken, sogar die kranken Katzen mit den vereiterten Augen, die die Fischgräten von der Wiese zerren; die Schuhputzer, die Nussverkäufer. Wir winken sie nur weiter, in diesem Licht stört nichts. Wir sind sowas von hier. Die wenigen aufgerauten Wolken in weiß, in rot, in purpur über uns. Mir klopft das Herz, das Abendlicht glitzert im Horn, Samuel redet. Er redet und redet, redet die ganze Zeit, ich nicke und lache und grinse und manchmal frage ich etwas, sage ja oder nein oder doch oder vielleicht oder unbedingt, das ist mein neues Lieblingswort: unbedingt, weil es hier hergehört, nach Istanbul, unbedingt. Wir plaudern wieder, wir können es, wir haben genug zu reden und wir machen Witze. Ja, da war eine kurze Sorge, ein kleiner Zweifel. Aber das ist nicht mehr. Sein Knie an meinem Bein, ich liege lang, er auf die Ellbogen gestützt, seine Beine angewinkelt. Eine leichte Berührung, auch das funktioniert. Ich sehe ihn an, lange, lange und immer und nur durch den Wimpernschlag geteilt. Ich höre kaum, was er redet und habe keine Sorge dabei, sehe nur seine großen Lippen, die sich kaum bewegen, wenn er spricht, den kurzen, vollen Bart, die Entspannung im Braun seiner Augen, die zitternden Locken, das alles, seine große, gerade Nase mit den ernsten Nasenflügeln. Ich liege und denke, dass ich Anlauf nehmen möchte, jetzt und hier, anlaufen, lange, lange und schnell und springen möchte und kurzen Flug und Fall und fallen; fallen in ihn. Und landen. Das ist Samuel und das bin ich.

In der Anfangszeit, als ich Lina noch kaum kannte, machte ich plötzlich Sachen, für die ich andere nur wenige Tage vorher noch ausgelacht hätte. Und ich gefiel mir dabei. Mit lauter fremden Ideen im Kopf. Für Lina wollte ich plötzlich romantisch sein. Ich war leidenschaftlich, wenn ich ihr von Stambul erzählte. Ich hatte ständig Gänsehaut von meinen eigenen Geschichten. Ich habe Reden geschwungen, kam mir vor, als würde ich wilder denken können. Einmal habe ich sie mit einem alten Gummiboot am Kanalufer abgeholt. Wir sind zwei oder drei Kilometer den Kanal entlang gepaddelt, durch den Hafen in das Industriegebiet, vorbei an Kränen, dem Schrottplatz, den wildwüchsigen Wiesen und den Gebrauchtwagenhändlern mit den Oldtimern. »Immer der Nase nach«, hatte ich gesagt, als ich sie einlud. »Stambul ist, wo die Schokolade herkommt.« Lina lag hinten im Boot, mit den nackten Füßen im Wasser, ich saß vor ihr, mühsam paddelnd und unaufhörlich redend, wie ich es nicht von mir kannte, gar nicht. Ich erfand eine Geschichte und wir fuhren mitten hindurch, es war wie eine Butterfahrt, wie ein Touristenschiff. Für jeden Vogel, an dem wir vorbeifuhren, erfand ich einen Namen, dachte mir Marotten aus, Probleme, erfand eine kleine Lebensgeschichte.

Ich zeigte Lina Stambul. Noch nie hatte ich irgendwem Stambul gezeigt, weil niemand außer Samuel und mir hier was zu suchen hatte. Stambul, das waren Samuel und ich, das ging nur uns etwas an. Aber weil ich wollte, dass alles, was mich angeht, von da an auch Lina angehen sollte, musste ich sie einfach herbringen. Und noch am selben Abend, gleich nachdem ich Lina wieder nach Hause gebracht hatte, fuhr ich noch einmal zurück nach Stambul, setzte mich ans Ufer und glotzte auf die hässliche Klinkerwand der Schokoladenfabrik und beschloss, dass ich sie noch in dieser Nacht anmalen würde. Farbe besorgen und die Wand vollschmieren, so bunt, so durcheinander, wie dieser ganze Tag mit Lina gewesen war.

Ein kleines Denkmal, ich wollte immer wieder kommen, Kaugummi kauen und es angucken.

Als Samuel ein paar Tage später die peinlichen, krakeligen und vollkommen übertrieben bunten Enten, Karnickel, Wolken und das riesige blaue Gummiboot an der Wand gegenüber von Stambul sah, guckte er mich an, prüfend, abschätzend und so, als wollte er mir sagen: *Komm auf den Boden, du Trottel.* In diesem einen kurzen Augenblick dachte ich: du, der du keine Ahnung hast. Ich musste zu dieser Wand stehen, was blieb mir und wir stritten uns. Samuel war wütend, dass ich Lina hier her gebracht hatte. Aber er sagte: »Scheiß hässlich. Du bist so begabt, du kannst Scheiße noch hässlicher machen. Und ich darf mir das jetzt jeden Tag angucken.«

»Das da drüben ist ne Klinkerwand. Und das hier ist ein verdammter Schrebergarten. Bleib locker.«

Samuel zog die Nase hoch und sagte: »Hast du nen Malkurs an der VHS am Laufen oder nur dicke Eier?«

»Dicke Eier, aber ich tu wenigstens was dagegen.«

Ich grinste und lief an ihm vorbei und Samuel trat mich in den Hintern und lachte sich schlapp, völlig übertrieben.

Beyoğlu, hier, so scheint es uns, treibt es am stärksten, hier ist am meisten los, hier tummeln sich die Hippen, die Coolen, die Schönen und die in ihrem Schlepptau. Wir laufen von Tünel hoch nach Taksim, durch ein französisch anmutendes Viertel, Cafés, Bäckereien, viel westliche Mode, Musikläden. Hier also sind die Frauen, nach denen wir auf der Suche sind, die sonst so selten sind auf den Straßen, wirklich selten, zumindest im Vergleich mit Deutschland. Istanbul, obwohl so viel heißer, ist reizarm in dieser Hinsicht, wirklich. Hier endlich sind sie, von denen wir wussten, dass es sie geben muss: junge, schöne Türkinnen, die nicht verschleiert sind und nicht durch Glasscheiben auf das Leben auf der Straße schauen, als gehörten sie wie selbstverständlich nicht dazu. Hier lachen sie aus geschminkten Mündern, kichernde Gruppen, klingelnde Handys und Düfte im Wettbewerb, ihre Absätze klackern vertraut.

»Oder hier«, sage ich.

»Ja …«, sagt Samuel, »obwohl.«

»Ist doch super.«

»Ja, klar, aber irgendwie so hip.«

»Ja und?«

»Na, nicht so ursprünglich. Ich mag das Schicke nicht so.«

»Ja, aber auf jeden Fall auch eher unsere Welt.«

»Deine vielleicht.«

Ich muss ihn angucken. Er meint es tatsächlich ernst. Kaum zu glauben. In meinem Kopf setzt ein Orchester ein. Streicher.

»Okay, du Eingeborener, dann erklär mir mal, was hier für dich nicht geht.«

»Mann, ich mag die Stimmung unten am Ufer einfach lieber, außerdem …« Sein Blick geht an mir vorbei, er hat irgendwas entdeckt, sein Gang stockt, ich sehe mich um, kann aber nichts erkennen, keine schöne Frau, kein leer stehendes Gebäude, nichts Interessantes, nur zwei Modegeschäfte und einen runtergekommenen Schuhputzer zwischen den Schaufenstern. Dann geht es schnell, er redet ruhig weiter, beiläufig, nur etwas abgehackt: »… sind die Preise hier bestimmt überhaupt nicht mehr in Reichweite, verstehste?« Wie nebenbei wechselt er die Seite, geht auf den Schuhputzer zu, zieht aus seiner Tasche die Plastikkamera hervor und schießt im Gehen und aus der Hüfte ein Foto von dem alten Typen, der müde und mürrisch an der Wand lehnt. Seine Sachen alt und ungewaschen, Schnurrbart, eingefallene Mundpartie, müde Augen, bestenfalls kauzig. Dann dreht Samuel ab, als wäre nichts gewesen, läuft einfach weiter, seine Hand lässt die Kamera verschwinden, die ganze Aktion ist ihm keinen Kommentar wert, er redet einfach weiter: »Das ist doch irgendwie unrealistisch, ich meine, ich hab eh keine Vorstellung von der Preislage, aber im Grunde müssen wir doch sowieso immer die günstige Variante nehmen, wir haben ja eigentlich gar nichts.«

Heute sieht Irenes Haut aus wie ein zerknitterter Lederhandschuh. Sie ist braun und vergerbt und liegt lose über ihrem klapprigen Körper wie die Jacke eines großen Bruders. Sie ist mager, in sich geschrumpft, zittrig. Sie hat große leuchtende Augen in ihrem Kinderkopf. Alles an ihr sieht älter aus, als es ist. Manchmal kann man den Stolz um ihre zierliche Nase sehen. Dieser Stolz, der sonst zur Pose verkommen ist. Dieses Geradestehen und das Gesicht in die Höhe recken, das Geräusch, das sie dazu mit dem Mund macht, wenn sie vor diesen Pennern steht und die Beleidigte spielt.

Die eckig gewordene Eleganz ihrer Finger. Wenn man sich einmal hinsetzt, vielleicht mit einem Bier, um nicht aufzufallen, und abwartet, dann kann man es sehen, irgendwann: wie sie sich aufbläht und in sich zusammenfällt, immer und immer wieder. Noch stehend ganz plötzlich nur noch Strich, nur Hülle, weil sich von irgendwo in ihr drinnen ein Gefühl hochsingt, man sieht es fast, wie immer es heißt, Sinnlosigkeit, Angst, Hoffnungslosigkeit, und wie sie wankt dann, nicht wegen des Biers oder des Weins, das verunsichert ihre Schritte kaum mehr, und sich setzen muss und heult, ganz plötzlich. Hier in diesem Haufen Penner vor dem Supermarkt ist sie der einzige Rest Frau. Es sind zwischen fünf und fünfzehn Männer hier, jeden Tag, auch im Winter, dazu zwei jüngere

Frauen, die immer dabei sind. Aber die sind auf Heroin. Die fasst keiner an.

Irene ist beliebt, und wenn sie es zulässt, dann balzen die Penner um sie. Und sofort blüht sie auf, Irene, der ein Zahn fehlt, der erste Backenzahn oben links. Irene mit der welken Haut. Plötzlich strahlt sie, glüht sie, geht sie auf, kehrt die Kraft zurück. Sie scherzt und läuft und posiert. Wenn die Entfernung groß genug ist, wenn man ihr von weiter weg zusieht, dann kann man sie auf Bühnen denken, wenn man mutig ist. Inmitten eine Familie auf jeden Fall, in Urlaub, auf Familienfeiern. Auf glückliche Fotos, in aufgeregte Liebe, in echten Streit, Autos und ein Reihenhaus. Sie müsste hier nicht stehen. Aber irgendwas hält sie hier, hält sie am Leben, und ganz sicher ist es nicht der Alkohol. Oder nicht nur.

Morgens im ersten Licht ist die Stadt noch kühl und frisch. Dann ist Istanbul unser Freund. Wir stehen früh auf und kaufen Sesamkringel, Käse, Orangen, suchen jeden Morgen einen neuen Platz, der uns gehört, der uns passt, wir frühstücken lange und genüsslich. Heute sitzen wir hinter dem Palast, auf der alten Stadtmauer, gucken auf das Goldene Horn. Ich schäle die Orangen, Samuel gibt mir einen Kringel. Wir brauchen nicht zu reden. Wir sind hier, zusammen, und alles ist gut. Samuel isst und schmatzt, er lutscht die Orangenschnitze aus, er brummt und knurrt, stellt sich hin und schüttelt die Schultern. Samuel singt seinen türkischen Quatsch, ich verstehe kein Wort, muss schmunzeln über diesen Spinner. Ich klatsche in die Hände, rhythmisch, und Samuel schnipst mit den Fingern, wackelt mit seinem halbgekonnten Tanz zu mir herüber, um mich aufzufordern und ich klatsche weiter, wir sehen uns an, ich lache, versuche ironisch zu sein. Bei Samuel keine Spur von Ironie. Ich stehe auf und wackle seinen Tanz mit ihm, er hat ihn hier gelernt. Gestern Nacht sind wir durch die düsteren Straßen gezogen, nur ein paar Querstraßen von der Millet Caddesi in Richtung Meer. Das ist das Verwunderliche an Istanbul: man biegt um zwei Ecken und ist in einer anderen Welt. Eben noch auf einem Boulevard, ist man plötzlich in einem Ghetto, in einem von Geschäftshäusern gesäumten Park, auf einem Basar.

Gestern Nacht, als wir durch die Straßen liefen, war es dunkel und fremd, fremder oder vielleicht auch nur später als in den vorangegangenen Tagen und vor allem: den Nächten. Ich konnte die Situation nicht einschätzen, wusste nicht, in was für einer Gegend wir waren. Ich fühlte mich unwohl. Samuel mit seinem Laufschritt ging voran, unbeirrt, obwohl auch er gefühlt haben muss, dass die Stimmung komisch war. Ich bin sicher, er merkt alles. Er kann es nur nicht zugeben. Der Türke unter Türken. Wovor, bitteschön, sollte er Angst haben. Mir kamen schon die Blicke merkwürdig vor. Die Augen, die fremden Augen, manche so benebelt, so wild und feindselig. Ich fühlte mich außenstehend, beobachtet, umringt. Vielleicht, wahrscheinlich übertrieben, aber ich war, wie man ist, wenn man fremd ist, vorsichtiger, aufmerksamer, ängstlicher. Ich hatte nicht den Überblick, kannte die Regeln nicht, konnte mich nicht verständigen. Ohne Sprache ist man ein Idiot. Die Straßen voll von Menschen, Wagen, Verkaufsbuden, Müll. Die knatternden Auspuffe, der Geruch von Rauch, wie ein Schleier, darin gebratenes Fleisch, Fisch, Tee, Nüsse oder Müll. Plötzlich bleibt Samuel stehen, dreht sich um, zeigt auf die andere Straßenseite, sagt: »Tanzen«. Und verschwindet, ohne zu sehen, was ich tue, in einem übervollen, kleinen, neonlichtweißen Raum. Hier hat er seinen komischen Schütteltanz gelernt, den er jetzt und hier zum Frühstück hinter dem Palast mit mir aufführt. Heute ist er angenehm, witzig, heute gehört er uns. Gestern: Ich stehe an der Seite, sehe dem Treiben zu, dem Tanzen, Schütteln, den Musikern und Samuel mittendrin. Er ist so unbedingt dabei, so unbedingt Teil, so mit aller Kraft in dieser Welt, obwohl er doch auch keinen Hauch mehr Ahnung hat als ich. Ich bin nicht wirklich dabei, gehe raus, setze mich auf den Fenstervorsprung, lehne gegen das Fenster. Das Glas vibriert in meinem Rücken. Ich höre die Musik, sehe den Abend fließen, ab und zu werfe ich einen Blick hinein, versuche Samuel im Getümmel zu erkennen. Ein junger Mann verkauft mir einen kleinen Beutel Pistazien. Es sind nur Männer auf den Straßen und auch in dem Klub hinter mir. Später kommt er raus und setzt sich neben mich, verschwitzt, lachend, zufrieden, völlig außer Atem. Zwei Typen kommen aus dem Klub, wollen gehen, klatschen Samuel ab, sie wechseln ein paar Worte. Ich höre Samuels Euphorie, die mir zuwider ist. Er blickt immer wieder zu mir herüber währenddessen, wie um sicher zu gehen, dass ich das alles auch wirklich mitbekomme. Er will mir irgendwas beweisen. Dass dieser ganze Quatsch, sein ständiges Getue, eben doch kein Getue war, dass er hier der ist und endlich sein kann, der er immer vorgegeben hat zu sein, mit seinen braunen Augen, dem Gefasel von der einen Liebe und seinem leidenschaftlichen Gesang.

»Hey, was sitzt du denn die ganze Zeit hier draußen? Voll geil da drin.«

Die beiden Typen sind gegangen und schon nicht mehr zu erkennen im Dunkel der Straße.

»Mh, ja, grad keine Lust zu tanzen. Du tanzt doch sonst auch nicht, in Deutschland, meine ich.«

»Ja, ich geh mal wieder rein«, sagt er.

Ich bleibe sitzen, warte. Später, als die Musik vorbei ist, stehen wir in einer Gruppe vor dem Laden, mit einigen Brocken Türkisch, Englisch und Deutsch tauschen wir Nettigkeiten und Witze aus, dann laufen wir endlich weiter. Ich bin sauer auf Samuel, eingeschnappt irgendwie und finde es selbst etwas lächerlich. Aber es gefällt mir nicht, wie er sich gibt, dass er tut, als hätte es Istanbul, die Türkei, diese Kultur gebraucht, damit er endlich zur Entfaltung kommt, was ist das für ein lächerlicher Schwachsinn, denke ich und hasse seinen hüpfenden Gang, seine Leichtigkeit, den Dampf, der von seinem heißen Körper in den kühlen Abend aufsteigt. Er summt Melodien nach, läuft zwei, drei Schritte vor mir, so dass ich ihn genau beobachten kann. Sein Körper ist noch immer in Bewegung, seine Schultern gleiten geschmeidig, in seinem Kopf kann er die Musik von eben noch hören. Am meisten ärgert mich vielleicht, dass er es schafft, dass alles hier ihm Recht gibt. Ich weiß es besser, ich kenne ihn seit Jahren, Samuel ist nicht der, für den er sich jetzt hält, nur weil er einmal tanzt, nur weil er schneller als ich in Kontakt kommt mit den Menschen hier. Das alles heißt gar nichts. Wir biegen ab, wollen zum Wasser. Wenn man sich anstrengt, wenn man sich selber alles glaubt, wenn es keine Skepsis gibt, wenn man alles nur bewundert, natürlich kommt man dann näher dran und das sehr schnell.

An einem Kiosk kaufe ich zwei Bier, zahle mit einem Hunderter, weil ich es nicht kleiner habe und der Typ hinter mir macht mir Angst, sein Blick, diese Gegend. Da ist es: mein touristisches Misstrauen, er könnte mich gleich überfallen, sobald ich draußen bin. Ich kann nicht einschätzen, ob hundert Lira ausreichen für einen Überfall, ich könnte nicht mit ihm reden, ich wüsste nicht wohin, ob ich ein Messer in den Bauch bekäme und ob man mir helfen würde. Mit der dunklen Plastiktüte gehe ich raus zu Samuel und wir laufen weiter. Natürlich passiert nichts. »Sind gleich am Wasser«, sagt er. Wir biegen noch einmal ab. Die Luft riecht salziger. Die Straßen werden dunkler, immer weniger beleuchtet, plötzlich sind wir in einer Art Sackgasse. Es stimmt: irgendwo in dieser Richtung müsste das Wasser sein, aber hier geht es nicht weiter. Unter einer Außentreppe lungern ein paar Gestalten. Sie stehen im Kreis, rauchen und spielen irgendein Spiel, sie sind nicht viel älter als wir. Als sie uns sehen, rufen sie nach uns. Ich sage: »Lass uns abhauen, Samo.« Samuel schnauft verächtlich. »Hey!«, ruft er und geht auf die Gestalten zu. Ich hasse ihn. Muss er mit seiner gutgelaunten Gewinnermiene jetzt jede Situation meistern? Er redet mit den Typen. Ich nähere mich langsam, obwohl ich nichts als weg will. Sie stellen sich auf, so kommt es mir zumindest vor. Ich verstehe nicht, um was es geht, aber offenbar kommt Samuel mit seinen Touristensätzen auch nicht wirklich weit. Sie wollen irgendwas von ihm, ich kann mir denken, was. Plötzlich verändert sich der Ton, der von Beginn an nicht freundlich war, sondern verächtlich und überlegen. Jetzt ist er bedrohlich. Sie bilden einen Halbkreis um uns, sind sieben oder acht. Ich sage: »Samo, lass uns weg hier. Ich zähl bis drei, dann rennen wir.« Er dreht sich nicht um zu mir, aber er hat mich gehört, ich weiß. Zwei kommen ihm immer näher. »Ja«, sagt Samuel. »Zwei.« Ich rufe: »Drei.« Wir fetzen los, auf Kommando, die Straße zurück. Zurück in die beleuchteten Ecken. Kiosk. Verkäufer. Der Klub. Wir hören im Laufen ihr Rufen und Lachen, sie schnalzen mit den Zungen. Es ist nichts passiert. Es ist nichts passiert. Wir gehen zurück zur Millet Caddesi. Hier sind wir sicher, hier ist so viel Trubel. Trotzdem laufen wir in Richtung Hostel, ohne nur ein Wort zu sagen. Wenn ich ehrlich bin, freut mich seine Niederlage. Hätte er auch mit diesen Kerlen händeklatschend, lachend dagestanden, ich wäre mir so dumm vorgekommen mit meinem Misstrauen, meiner Ängstlichkeit.

Heute, im Licht, am Morgen, mit Blick auf den Bosporus, ist alles verflogen. Es ist leicht und schön. Es gibt nichts Bedrohliches, auch zwischen uns keine Spannung. Wir stehen etwas lächerlich auf der breiten Mauer, schütteln die Schultern. Samuel grunzt eine Musik aus seinem Kopf, er schnipst, ich klatsche und trete auf den Käse. Wir lachen. Ich lasse mich fallen, schüttele den Kopf und breite die Arme aus, als wollte ich diesen Tag umarmen, übermütig. Auch Samo kriegt sich ein, bleibt aber noch einen Moment stehen und sein angestrengter Blick geht auf die andere Seite des Ufers, das man durch den Dunst kaum erkennen kann. Er steht im leichten Wind, seine Klamotten flattern leise, er hat die Hand an der Stirn, wie eine Karikatur von einem Piraten auf dem Ausguck und verkündet ins Goldene Horn hinein: »Da drüben, da werden wir nachher was finden.« Er meint ein Haus. Irgendwas, wo wir wohnen und unseren Laden aufmachen können. Wir sind auf der Suche. Das ist der Plan. Am Morgen kann ich es denken, mit ihm, dass wir hier wohnen, in Istanbul. Wir könnten hier sein. Es könnte gehen. Seltsamerweise hat es mit dem Licht zu tun.

Wir sitzen im Esszimmer. Sonntagmorgen. Klassikradio. Frühstück, ich bin vielleicht dreizehn Jahre alt. Es gibt selbstgebackenes Vollkornbrot und frisch gepressten Orangensaft. Ich sitze, kaue, gucke aus dem Fenster. Dann plötzlich, wie aus dem Nichts, sehe ich meinen Vater sterben. Er greift sich ans Herz und ins Gesicht, sein Atem ist panisch. Ich schmiere Frischkäse auf die eine Hälfte meines Brötchens, nehme Kaffee. Meine Mutter eilt ihm zu Hilfe, fragt: »Was ist, was ist?«, und rennt zum Telefon, ruft einen Arzt und mein Vater glotzt mich an. Seine weit aufgerissenen Augen stieren, flehen, er röhrt und es sieht aus, als wolle er sich mit den Händen die

Brust aufgraben. Ich schaue auf den Brennnesselkäse, der auf seinem Teller liegt. In meinen Ohren kann ich das aufgeregte Rufen meiner Mutter hören, vor meinen Augen sehe ich, wie mein Vater verzweifelt die krampfartig angespannten Beine von sich wirft, wie er versucht, sich den Kragen zu weiten, wie er daran reißt und etwas sagen will, aber nicht kann, nur röchelt und stöhnt. Ich nehme vom Pflaumenmus aus dem letzten Herbst, verteile es großzügig auf meinem Frischkäse.

Als ich wieder zu ihm rübersehe, erzählt mein Vater gerade einen Witz, den er eben erst auf dem Wochenmarkt gehört hat. Unterwegs muss der Geschichte alles Komische abhanden gekommen sein oder sie hatte nie etwas Komisches, so unwitzig ist sie. Meine Mutter lächelt trotzdem, sie frühstücken gut gelaunt, köpfen ihr Ei, tunken das Innere des Brötchens in das noch flüssige Gelb, lächeln sich an, dann steht mein Vater auf, um irgendwas aus der Küche zu holen, im Vorbeigehen gibt er meiner Mutter einen liebevollen Kuss auf den Nacken und sie schließt die Augen und lächelt. Nach all den Jahren Ehe. Ich frage mich, ob sie in ihrem Leben noch einmal würde lächeln können, wenn mein Vater sterben würde. Ob er es könnte, im umgekehrten Fall. Ich habe mein Brötchen aufgegessen, mein Vater war gestorben, dann kommt er wieder zur Tür herein, setzt sich und lächelt mich freundlich an. So was darf man nicht denken, sage ich mir, man darf sich nicht vorstellen, wie die eigenen Eltern verrecken vor einem, sonst passiert es möglicherweise. Vielleicht beschwört man es so.

[Ich betrete sein Zimmer und drücke ganz automatisch die Tür hinter mir zu. Der Luftzug bewegt das Foto an seinem Klebestreifen hin und her, das Foto, das schon immer an der Wand hängt, an der sein Bett stand. Ich hätte es fast hier vergessen, ausgerechnet.]

Als Lina sich meinem Vater vorstellte, hatte ich das Gefühl, dass er sich ärgerte, nicht mehr zwanzig zu sein. Das kannte ich nicht, ich hatte nie in Betracht gezogen, dass es etwas an mir geben könnte, um das mein Vater mich beneidete. Er versteckte seine Quallenhand hinter dem Rücken. Damals, am Anfang, war ich mehr als fasziniert von Lina. Sie brachte meinen Vater durcheinander, wortlos.

Lina, wie sie da stand und die Luft von ihrem Duft zitterte. Sprachlos und lächelnd standen mein Vater und ich in der Holztür und waren benommen. Lina hatte raspelkurzes schwarzes Haar und Augenbrauen, die einen Schwung haben, dass man darin Achterbahn fahren möchte, Augenbrauen wie sie selbst, etwas übertrieben und auf eine elegante Weise exaltiert. Die Brauen sind ein hauchdünner Rahmen für ihre unglaublich großen, runden, tiefen Augen, die braun sind und eigentlich schwarz vor lauter Pupille und ruhig und im selben Moment immer etwas spitz, schelmisch, so, als hätte Lina immer noch etwas in der Hinterhand, einen Witz etwa. Mein Vater stand nur und guckte, ich guckte auch, wir waren Zuschauer. Lina sah mich an und hob eine Augenbraue. Sie hat eine breite und tief im Gesicht stehende Nase, kurz über ihrem Mund, auf den man ständig gucken muss. Ihre Lippen, meistens dunkel geschminkt, sind so weich und warm und groß, dass man sich beherrschen muss, nicht einfach und ständig den Finger darauf zu legen. Diese Lippen schob sie leicht nach vorne und presste brummend die Luft hindurch. Wir lachten und waren froh, dass jemand ein Geräusch machte und dass es aus diesem herrlichen Mund kam. Lina grinste breit, zeigte ihre unglaublichen Zähne und hielt meinem Vater die Hand hin. Als er sie nahm, machte Lina einen kleinen, fast unmerklichen Knicks. Eine winzige Kurve ihrer Beine nach links nur, aber so erotisch, dass ich es auf repeat stellen und immer und immer wieder ansehen möchte. Mein Vater nahm Linas Hand, neigte seinen Kopf und sagte: »Bonjour«. Er wurde augenblicklich rot, guckte eilig hin und her und lachte verlegen. Hatte mein Vater mit dem roten Kopf eben aus Versehen mit meiner Freundin geflirtet? Ich war stolz und er zog die Tür auf und winkte uns umständlich mit dem Arm hinein, so als würden übertriebene Gesten sein dämliches *Bonjour* vergessen machen. Lina hob den Kopf ein wenig an und stolzierte hinein.

Sultanahmed. Wir stehen zwischen den Moscheen. Riesige Bauten, von denen man nicht glauben will, dass sie, so viele hundert Jahre alt, ohne Kräne und Maschinen gebaut worden sind. Wir sitzen auf Bänken im alten Hippodrom. Ein alter Mann mit Zigarette im Mundwinkel schlurft mit ansteckender Gelassenheit zwischen den Bänken hin und her und bietet den Touristen Tee an. Auf einer der Bänke hat er eine kleine Box mit Würfelzucker und seine Druckthermoskanne deponiert. Mit kleinen, unaufgeregten Schritten zuckelt er hin und her, balanciert den Tee lässig über den Platz, kassiert 50 Kuruş und sieht sich um. Mit den Einheimischen tauscht er hin und wieder Tee gegen eine Zigarette. Katzen schnurren um seine Beine, er ist der perfekte Rentner.

»Zur Not wie er«, sagt Samuel. »Ich bin sein größter Fan.«

Ich lächle, nicke: »Auf jeden. So ein entspannter Kerl.« Ich gucke wieder auf den Stadtplan.

»Welche Stadt?«, raunt eine Stimme von der Seite. Wir drehen die Köpfe.

»Was?«

»Deutschland, oder?«

Wir nicken. Ein gutgenährter Türke Ende fünfzig. Er lächelt, ihm fehlen die meisten Schneidezähne, vielleicht deshalb der zu lange Schnurrbart. Er guckt herausfordernd und freundlich.

»Ich auch Deutschland. Achtzehn Jahre Frankfurtmain, Wiesbaden, München auch.«

»Mh«, sage ich.

»Was habt ihr gesehen in Istanbul?«

»Wir laufen so rum«, sage ich, zähle noch ein paar Stadtteile auf, bin froh, dass ich auch mal Konversation machen kann.

»Ah, kennt ihr Wilhelmzweideutscherkaiserbrudergrab? Habt ihr nicht gesehen?«

»Was?«

»Ist gleich da«, er wedelt mit dem Finger in der Luft umher. »Ich zeige euch.«

»Ach, wir sitzen gerade«, sage ich.

»Müsst ihr sehen Istanbul«, sagt er. »Ich bin Feierabend jetzt. Zeige euch Grab von Bruderwilhelmzwei. Deutscher Kaiser.«

Ich schaue Samuel an. Da lacht der Mann, sagt: »Keine Angst, ich will keine Teppich verkaufen.«

Wir lachen mit ihm und stehen auf.

Im Laufen erzählt er von insgesamt achtzehn Jahren Deutschland, einer ersten Ehe mit siebzehn, zu der er gezwungen wurde, seiner Arbeit als Warenhausdetektiv bei KarstadtHertieKaufhof. Samuel und ich lächeln unverfänglich und versuchen, an den richtigen Stellen zu nicken.

»Student?«, fragt er.

»Nee«, sage ich, »gerade mit der Schule fertig.«

»Ah, drei Kinder«, er zeigt auf sich, »alle studiert. Gute Ausbildung wichtig.«

Dann stehen wir vor einem Brunnen.

»Kaiserwilhelmzweibruder«, sagt er. »Geschenk für Gastfreundschaft, könnt ihr lesen im Schild«. Wir lesen, obwohl es uns herzlich egal ist. Währenddessen erzählt er von der Freundschaft der Völker, vom Hippodrom, in dem wir stehen, von den dreißig Jahren, die Istanbul inzwischen seine Stadt ist und dass er alles hier kennt.

»Jetzt zeige ich euch Moschee.«

»Joar. Ach.«

»Müsst ihr sehen! Kann ich erklären Islam, ist wichtig für verstehen Türkyie. Wenn in Türkyie müsst ihr auch sehen Moschee. Kenne ich besondere Moschee, fünf Minuten mit echte, handgewebte Teppiche.«

Wir sind ohnehin schon im Rhythmus seiner Schritte. Laufen längst in seine Richtung. Er ist ein alter Mann, der vielleicht einfach keine Lust hat, an diesem frühen Abend nach Hause zu seiner nervigen Frau zu gehen, der gern läuft und redet, der sich vielleicht freut, mal wieder Deutsch zu sprechen und nicht die immergleichen Streite und Gespräche daheim führen mag.

»Mein Geschäft ist vorne da«, er winkt mit dem Arm hinter sich, »aber jetzt ist Feierabend, jetzt ich zeige meinen deutschen Freunden Moschee«. Wir laufen. Er hat einen beherzten Schritt, denke ich, für einen Teppichhändler über fünfzig. Er redet von der unterirdischen Stadt, den Griechen, den Römern, der Befreiung Istanbuls, den Kurden. Wir antworten nicht, er lässt auch keine Pausen, wir laufen nur stumm neben ihm her, versuchen Schritt zu halten, lassen uns berieseln, genießen die vielen Worte und dass uns plötzlich eine

Geschichte umgibt. Der Teppichmann hat gut gepflegte Finger, fällt mir auf, und einen adretten Anzug. Warum spricht er zwei Typen wie uns an? Vielleicht ist Türkei so: Ich mag, dass die Straßen leben, dass Mütter aus offenen Fenstern ihren Kindern auf der Straße nachbrüllen, dass ein Mann mit einem Sack auf der Schulter durch eine enge Gasse geht und sich mit allen vier Leuten, an denen er vorbei geht, laut und immer lauter werdend unterhält, während er einfach weiter läuft. Ich mag die Neugierde, einen Fremden zu fragen, woher er kommt, zumindest, wenn sie nicht auf ein Geschäft zielt, ich mag, dass unser Teppichmann sagt, er kenne den Stadtteil, seine Bewohner, hundert Nachbarn mit Vornamen. Wir bleiben stehen, das erste Mal, weil die Straße vor uns zu stark befahren ist. Der Teppichmann nutzt den Augenblick, uns seine Hand hinzuhalten: »Yassin«, sagt er. Kaum haben wir die Hände geschüttelt, schlüpfen wir eilig durch die kleinen Lücken, die die rasenden Wagen lassen. Auf dem Platz vor der Moschee ist Trubel: Stände, Decken, kleine Tische.

»Basar, Basar«, sagt Yassin und schüttelt lächelnd den Kopf. »Frauen wollen immer Basar, deshalb hat Imam erlaubt Basar einmal die Woche. Die kommen alle nicht von Istanbul, die kommen alle von Land. Ist wichtig für Frauen: Treffen und redenreden«. Wir ziehen die Schuhe aus, treten auf den Teppich, der vor dem Eingang liegt, Yassin achtet darauf, dass wir alles richtig machen und wir schlüpfen durch den Plastikvorhang in den riesigen Kuppelsaal. Wir sehen uns um, Samuels Mund steht für einen Moment offen, dass Yassin es sehen kann und ich weiß, dass Samuel ihm den Gefallen extra tut, dass er die Bewunderung, die vielleicht sogar echt ist, für Yassin nach außen trägt. Yassin zeigt uns, wo wir die Schuhe abstellen können, erklärt zuerst, dass dies die einzige Moschee ist, in der noch echte handgewebte Teppiche den ganzen Boden bedecken. »Gute Qualität«, sagt er und lächelt bauchig. Dann redet er vom Islam, von Mohammed und Toleranz. Ich gucke in den riesigen, fast menschenleeren Raum und rieche den feuchtkühlen Duft der alten Mauern. Es passt nicht, hier zu stehen, in diesem riesigen, fremden Raum. Ein Kronleuchter, so groß wie das Haus meiner Eltern, hängt von der Kuppel tief in den Saal hinein. Vorne hocken sieben oder acht gebückte Menschen und beten. Ich traue mich nicht zu reden, ich fühle mich wie ein Schwindler. Als wir später die Moschee zur anderen Seite verlassen, wollen uns schwarzverhüllte Frauen Taschentücher verkaufen, aber Yassin verscheucht sie. »Zigeuner, sind schwarz und vermummt, aber wollen nur Geld aus Tasche, Zigeuner – darf man niemals glauben.« Wir sagen nichts. Wir gleiten durch die Dunkelheit, noch immer folgen wir Yassin, obwohl wir das Gelände der Moschee längst verlassen haben. Ich frage mich, warum. Und genau in diesem Moment sagt er: »Jetzt ich zeige euch noch den besten Ausblick über Bosporus, dann Schluss«, er malt es mit seinen Händen in die Luft, »dann wir machen Verabschiedung.« Wir lachen und nicken und folgen ihm weiter die Straße hinab. Samuel fragt Yassin nach seinem Teppichhandel, den Kosten für die Ladenmiete, Gehälter, Genehmigungen. Clever, denke ich. Man kommt gar nicht so einfach an solche Informationen, wenn man nur durch die Stadt läuft, aber Samuel ist schnell im Kopf und weiß, was er will. Leider ist Yassin keine besonders gute Quelle, zeigt auf ein leer stehendes Büro, an dem wir gerade vorbeilaufen, stößt mich an, fragt: »Was glaubst du, kostet diese Haus?«

»Das Büro, meinst du, oder das ganze Haus?«

»Nur Büro, nur Büro.«

»Zu Kaufen?«, frage ich, er nickt, ich überlege.

»Sechzigtausend Euro vielleicht.«

Yassin lacht. »Euro, hab ich gesagt, nicht Lira.« Aber er schüttelt den Kopf: »Du musst über Millionen denken.« Und wischt Widersprüche mit seiner Hand in der Luft vorsorglich beiseite. Wie überflüssige Worte von einer Tafel. »Da«, er zeigt auf eine Baulücke vor uns, »da ist Aussicht.« Und es stimmt: ein guter Platz, ein wunderschöner Blick auf den Bosporus, auf die Flut der kleinen Lichter, auf das große, weite Istanbul. Wir stehen, atmen, genießen.

»So«, sagt Yassin, »jetzt ich werde zu Familie gehen.« Wir nicken, pressen die Lippen voller Dankbarkeit aufeinander.

»War schön«, sage ich, Samuel nickt.

»Wenn war schön, ihr könnt mir Spende machen.«

»Oh«, sage ich, »wir haben gar kein Geld dabei«, und sehe zu Samuel. Er nestelt in seiner Hosentasche, kramt ein paar kleine Münzen hervor, drei, vier Lira. »Das ist alles, was wir haben«, sagt er und hält es Yassin hin.

»Warum?«

»Wie warum?«

»Warum nur kleines Geld?«

»Wir haben nie viel Geld dabei, damit wir nicht so viel ausgeben«, sage ich, »außerdem Taschendiebe ... wir haben einfach nicht so viel Geld.«

»Ah«, Yassin schnalzt mit der Zuge, »wo wohnt ihr?«

»Kleines Hostel, Kumkapi, warum?«

»Ah, kein Geld was? Ihr betrügt mich!«

»Was? Betrügen?«

»Laufe ich euch durch ganze Stadt, zeige ich Moschee und alles und jetzt habt ihr drei Lira für einen alten Mann?«

»Wir dachten, wir machen nen Spaziergang, wir dachten, Sie machen das, weil es Ihnen Spaß macht«, sagt Samuel.

»Bin ich Freund der Deutschen, zeige ich euch Stadt und ihr betrügt mich.«

»Jetzt mach mal halblang, Yassin, wir haben gar nichts ausgemacht, du hast kein Wort von Geld gesagt.«

»Ah, ts.« Er schüttelt den Kopf, guckt beleidigt, die Mundwinkel verzogen, die Arme verschränkt, dreht er sich halb von uns weg. »Wenn ich Russen durch Stadt führe, ich kriege fünfhundert, tausend Euro.«

»Ja, dann mach das doch, was erwartest du denn bitte von uns?«

»Wovon soll ich leben?«

»Ja, nicht von uns«, sage ich und merke, wie aufgebracht ich bin.

»Pech für mich, Pech«, sagt Yassin und dann kein weiteres Wort, hält Samuel die Hand hin und nickt ihm bitter zu. Samuel lässt die Münzen in Yassins Hand fallen, dann dreht er sich um und geht, eilig und trotzig wie ein kleines Kind. Wir bleiben stehen und gucken uns an und verstehen nicht, was gerade passiert ist.

Später sitzen Samuel und ich auf einem großen Stein an der Bucht und gucken in das Glitzern der Lichter im Wasser. Es fängt an zu nieseln.

»Komische Nummer«, sage ich.

»Mh.«

»Ich weiß nicht, mir gefällt diese Art nicht.« Samuel sagt nichts. »Hätte er doch sagen können, dass er Geld haben will, einfach ein Angebot machen, dann hätten wir ablehnen oder zustimmen können, aber so. Nee. Ich bin echt sauer. Wieso macht mich das so sauer?«

»Egal jetzt«, sagt Samuel, »lass gehen.«

Manchmal sah ich Bubu ein oder zwei Jahre nicht, dann wieder kam ein Sommer, in dem wir uns alle paar Wochen mehr oder weniger zufällig trafen.

Später, als ich ungefähr fünfzehn war, kauften wir dann von meinem Taschengeld Bier für uns beide und ein paar kurze Bitter. So zogen wir dann durch die Straßen, redeten nicht viel. Ich guckte ihm zu. Ich mochte seine Art zu sitzen, zu gucken, zu warten. Und ich mochte, wie er seinen Bitter trinkt: Er zwirbelt den kleinen, roten Verschluss mit einer erstaunlich flinken Handbewegung von dem Fläschchen, dann spitzt er den Mund zwei, drei Mal und schluckt den Speichel herunter. Mit dem Handrücken wischt er die Lippen trocken, blickt in die Ferne, in einer Art, die klug wirken soll, vermutlich. Dann hebt er in einer ruhigen, bedächtigen, fast feierlichen Bewegung seine Hand. Den kleinen Finger abgespreizt. Mit einem Zug ist die Flasche leer. Bubu behält den Bitter immer noch eine Weile im Mund, spült ihn hin und her, bevor er ihn runterschluckt. Er schmatzt zwei oder drei Mal und manchmal sagt er *Zähneputzen* und lacht dazu.

Im Sommer saßen Samuel und ich viel auf den verschiedenen Marktplätzen rum. Etwas abseits der Penner, aber in ihrer Nähe. Wir hatten das nie beschlossen, es hat sich einfach so ergeben, wir hatten nichts Besseres zu tun. Und wenn Samuel mal keine Zeit hatte, weil er sich um Irene kümmern musste, mit ihr zu den Behörden ging oder so, stolperte ich eben mit diesem Erwachsenen durch die Tage. Eigentlich war es überwältigend langweilig mit Bubu, aber es gab keine Regeln, jeder machte das, was er wollte.

Ich schwitzte und rieb mich an ihr, wir standen in der heißen Mittagsonne, ich drückte ihren Kopf mit meinen Küssen fest gegen die Wand der Turnhalle. Lina presste ihren Oberschenkel gegen meine Hüfte, ihre rechte Hand auf meinem Arsch. Sie drehte den Kopf zur Seite, holte übertrieben Luft und lachte. Ich leckte ihren Hals, ihr Ohr, flüsterte: »Kannst du nicht einmal lügen. Es wird langsam Herbst, Lina.« Sie hatte monatelang fest darauf bestanden, nicht lügen zu können, zu so etwas einfach nicht in der Lage zu sein. Ich musste ihr so oft, so unendlich oft erklären, dass ihre verfluchten Eltern selbst Schuld waren, wenn sie so streng, so unsinnig engstirnig, spießig und uralt in ihren Ansichten waren. Lina, das Großmaul, die Schöne und Lässige und ich – wir durften nicht beieinander schlafen. Und Lina nahm es einfach hin. Vielleicht hatte sie ein, zwei Mal gefragt und sich zufrieden gegeben mit dem Nein ihrer Eltern. Man sieht Lina und denkt, sie könne über jeden lachen, aber ihre Eltern sagen *nein* und Lina gehorcht. Dabei wurde es langsam Zeit. Mitte September, die letzte Chance, noch unter freiem Himmel in Stambul zu schlafen. Und weil bei Lina immer alles besonders sein muss, konnte sie plötzlich doch lügen: Filmnacht bei ihrer besten Freundin.

Die Luft war warm, wir saßen auf den alten Teppichen, hörten Musik, aßen zwischen den Kerzen Obst und Quark und Kuchen. Draußen legten wir alte Pappen auf den Rasen zwischen Hütte und Kanal, darüber eine Decke und wir schlüpften in den einen Schlafsack, den wir hatten, hielten uns und glotzen in den Himmel. Lina erklärte mir Sternbilder, ich hörte nur halb zu und streichelte und küsste sie, drückte mich an sie, fühlte ihre Gänsehaut. Wir mochten uns, und irgendwie war alles noch spannend und aufregend. Ein übertriebener Abend, aber besonders. Wir hatten kaum Platz im Schlafsack, Lina öffnete die Beine so gut es ging. Gesicht auf Gesicht, Lina hat nur zwei Mal kurz die Augen aufgemacht. Ich habe vor allem ihren Mund in Erinnerung, wie sie ihre krummen Schneidezähne auf die Unterlippe presste, wie ein bisschen Unterlippe sich in ihre Zahnlücke schob. Das erste Mal war nur eine winzige Bewegung meines Beckens, ihr schneller warmer Atem, fast ohne Geräusch.

Am nächsten Morgen wachte ich früh auf, lange vor ihr. Ein bisschen Wind, der Tau hatte die Pappe aufgeweicht und eine feine Schicht über unseren Schlafsack gelegt, frühes Licht. Lina schlief noch in meinem Arm, ich konnte mich kaum bewegen und nutzte die Gelegenheit, mir Lina genau anzusehen. Wir lagen Körper an Körper, ihr warmer Nacken zwei Lippen weit entfernt, die feinen Härchen wie für meinen Kuss gewachsen, ich konnte ihre Haut riechen, ihren Schlaf, die Nacht. Vorsichtig beugte ich mich über sie und atmete ihren Atem. Ich atmete im Gegenrhythmus, um keinen Hauch zu verpassen, ich musste an Samuel denken und was er einmal erzählt hat. Ich dachte, dass ich doch mehr fühlen müsste, Liebe oder so, aber ich fühlte nichts. Da müsste was sein, was Deutliches, aber ich sah nur Lina vor mir und den Abend, und alles, was ich dachte, war, dass es genau jetzt vorbei sein sollte. Kaum liege ich mit einer Frau, einem Mädchen, Arm in Arm bis in den Morgen hinein, denke ich über Treue nach, über Liebe und Verantwortung. Warum ich nicht einfach liegen kann, liegen und gucken, die Hand im feuchten Gras, die andere über den Augen, blinzeln durch die Finger. Nichts sagen, nichts denken, einfach aufstehen und gehen, wenn es passt, und sich wieder treffen, wenn man Lust dazu hat. Warum immer die große Geschichte suchen, warum große Pläne schmieden, wo vielleicht erst mal nichts als Neugierde ist.

Lina machte die Augen auf und sofort wieder zu, sie versuchte, die Beine an den Bauch zu ziehen und brummte. Es war zu eng im Schlafsack, sie knurrte und öffnete den Reißverschluss. Ich sah ihre Beine und fasste sie an, glatt und warm. Lina setzte sich auf, rieb sich den Rücken und stöhnte. Lina trug ein Nachthemd, ein Nachthemd hier draußen, weiß und duftend, nach Holz und Waschmittel und ihr, mit nadeldünnen dunkelblauen Streifen. Das erste Nachthemd, das in meiner Gegenwart jemals getragen wurde. Ich wollte Lina anfassen. »Habt ihr ne Schaukel?«, fragte sie. Ich schüttelte den Kopf.

»Ihr braucht ne Schaukel«, meinte Lina. »Meine Eltern haben noch eine im Schuppen. Da kann man wenigstens ordentlich drauf sitzen.«

Später irgendwann, erstaunlich spät eigentlich, aber es ist mir erst dann aufgefallen, frage ich: »Wer hat überhaupt das Foto gemacht?«

»Was?«, Samuel guckt groß. Sein Daumen fährt dabei wie von selbst um jeden Fingernagel. Er weiß nicht, was ich meine, ich weiß ja selbst nicht, wie ich jetzt darauf komme.

»Na, euer Urlaubsfoto. Irene und du auf dem Schlitten. Dein Vater wohl nicht, oder?«

»Nee, natürlich nicht.«

»Also?«

»Joachim.«

»Wer ist denn Joachim?«

»Freund von meiner Mutter.« Er nimmt den linken Mittelfinger in den Mund, beißt mit den Schneidezähnen einen Fetzen Haut ab, reißt eine kleine Wunde in sein Fleisch.

»Wie, Freund?«

»Ja, so, Freund eben. Waren zusammen. Scheiße, dass ich das nicht lassen kann!« Er guckt sich die Wunde genau an, fährt mit den Fingern darüber. Sie blutet leicht. Seine Finger sind wieder schlimmer geworden. Jeder Finger, die beiden kleinen ausgenommen, ist zerbissen, die Nägel tief ins Bett gekaut. Alles ist wund, schon seit Wochen.

»Wann das denn?«

»Ja, ist schon ewig her. Der ist abgehauen, da war ich, weiß ich nicht, gerade in die Schule gekommen oder so.«

»Der war richtig zusammen mit Irene?«

»Ja, verdammt. Und dann ist er abgehauen.«

»Warum?«

»Was weiß ich, haben sich gestritten.« Er sieht mich gar nicht an, nur seine Finger. Er hat schon so viel probiert. Wir hatten die Abmachung, dass ich ihm jedes Mal, wenn ich ihn knabbern sehe, eine verpassen darf. Mit der Faust auf die Schulter. War dann aber irgendwie auch nicht das richtige Mittel. Einmal hatte er sich irgendwo im Internet so Zeug bestellt, wie Nagellack, mit dem man die Finger bestreicht, so dass sie bitter schmecken. Hat ganz gut geklappt, aber sobald er das Zeug abgesetzt hatte, fing er wieder an.

»Und wie lange waren die zusammen?«

»Mann, paar Jahre. Länger auf jeden Fall.«

»Warum hast du denn nie was erzählt von dem?«

»Ist doch egal. Ist doch weg jetzt.«

»Ey, ein paar Jahre der Freund von deiner Mutter und du hast mir noch nie von dem erzählt?«

»Ja, ich hab dir viel nicht erzählt und du hast mir viel nicht erzählt. Was denn los? Müssen wir jeden Scheiß erzählen?«

»Mochtest du den?«

»Ja, ging. Als Kind mag man doch irgendwie jeden.«

»Stimmt nicht.«

»Nee?«

»Nee, meine Oma hab ich noch nie gemocht.«

»Egal. Ja, der war schon okay eigentlich.«

»Und Irene? Wie war die damals?«

»Gut, so gut wie nie, glaub ich. Ging ihr richtig gut, ne ganze Zeit lang. Hat wenig getrunken, hat gearbeitet und so. War wirklich richtig ein bisschen wie normale Familie: so geregelt, Frühstück, Abendbrot, Joachim hat mich in den Kindergarten gebracht morgens, dann sind sie zur Arbeit.«

»Deine Ma hat gearbeitet?«

»Ja, im Supermarkt. Nichts dolles. Waren eingeräumt, kassiert. Er war ihr Chef, da haben sie sich auch kennen gelernt.«

»Und ihr habt zusammen gewohnt?«

»Ja.«

»Wo?«

»Marienstraße. So ne kleine Wohnung. Gar nicht so klein, größer als die jetzt natürlich. Weiß ich aber auch nicht mehr so genau.«

Samuel schmatzt nachts manchmal. Ich weiß nicht, ob es stimmt, aber ich glaube, dass er auch in der Nacht die Finger im Mund hat. Weiß nicht, ob er kaut oder nuckelt oder ich mir das nur vorstelle, aber es ist naheliegend.

»Ey, warum hast du denn nie was drüber erzählt?«

»Weil's vorbei ist, was soll ich denn erzählen? Fotos zeigen, heulen und *früher, früher* sagen?«

»Verstehst du denn nicht, dass mich das interessiert?«

»Nee. Warum denn?«

»Weil das deine Geschichte ist.«

»Ja, spannend: meine Mutter hatte mal nen spießigen Freund, der ne Supermarktfiliale geleitet hat, wir waren mal in Österreich, Urlaub machen, manchmal sind wir am Wochenende irgendwo hingefahren, wir hatten mal feste Zeiten für Frühstück, Mittag, Abendbrot und Bett. Alles so. Wir waren im Zoo, Minigolf, Spiele spielen. Du kennst den Quatsch doch. Wenn die sich nicht getrennt hätten, dann hätten wir jetzt vielleicht nen Passat, 'n kleines Haus. Was weiß ich. Echt nicht spannend, aber jetzt weißt du's.«

»Hast du'n Foto von dem?«

»Nee.«

»Warum nicht?«

»Hat Irene alle weggeschmissen, glaub ich.«

»Schade.«

»Hab nur so ne Kassette vom Anrufbeantworter. Da ist seine Stimme drauf. Die hab ich vor ihr versteckt.«

»Was? Zeig mal!«

»Geht nicht.«

»Warum?«

»Kann ich nicht abspielen. Der AB ist weg. Hat sie damals alles weggeschmissen. Hat Joachim rausgeschmissen und alles, alles einfach weggeschmissen, ab in die Tonne: Schmuck und Fotos und Platten und Anrufbeantworter und Kerzen und Besteck und Geschirr, einfach alles, was sie an ihn erinnert hat. Ich weiß noch: kam nach Hause und die Wohnung war fast leer, naja, natürlich nicht, aber kahl irgendwie. Ich bin sofort raus und hab angefangen, die ganzen Sachen wieder reinzutragen. Aber hat sie mich nur angeschrien, hat sowieso viel geschrien in der Zeit, geschrien und nur im Bett gelegen und gesoffen. War richtig schlimm.«

Er lacht. Wie immer dann.

»Hat sie nur im Bett gelegen und ich dann bei ihr und sie hat gesoffen und geheult und sich an mir festgeklammert. Und die Wohnung war leer und dunkel und ich dachte: ich muss doch was machen, ich muss doch irgendwas machen, weißt du?« Und er guckt mich an, forschend, mit seinem kichrigen Lächeln, will wissen, wie das auf mich wirkt, will sehen, wie ich gucke, wartet ein bisschen ab. »Ja«, sagt er, »bis dann irgendwann das Jugendamt vor der Tür stand, weil ich zwei oder drei Wochen nicht im Kindergarten war. Scheiße war das. Richtig peinlich.«

[Er hatte nie ein Poster oder sonst ein Bild an einer seiner Wände hängen. Nur dieses eine Foto, mit einem kleinen Streifen Tesafilm an die Tapete über seinem Kopfende geklebt. Vergilbte Farben, die Ecken des Bildes sind von der Wand weggebogen.]

Wir laufen und laufen und laufen. Istanbul ist so unfassbar groß. Wir könnten zwei Tage geradeaus laufen, ohne Unterbrechung, und wären immer noch in Istanbul. Die Dimensionen sind verstörend, zumindest für einen, der aus der Provinz kommt, wahrscheinlich sogar für jemanden, der aus Berlin kommt oder so. Istanbul ist riesig und voll und verwirrend. Wir laufen über einen engen Basar, zwischen alten, verwinkelten Mauern, voll von Leuten, sie verkaufen Fische, Plastikspielzeug, Brot und Teppiche, wir laufen und laufen und laufen, stehen in einer Autowerkstatt, dann plötzlich wieder zwischen Rüben und Bananen. Mit kitschverschmierten Augen schleichen wir durch die winzigen Seitengassen, in denen die Kinder Vorfahrt haben, auf der Straße Steine stapeln, Fußball spielen, Wäscheleinen von Fenster zu Fenster gespannt sind, wo alte Frauen Nüsse verkaufen und Männer mit gut gepflegten Bärten einen dazu zwingen, sich die Schuhe putzen zu lassen. Nur zwanzig, dreißig Schritte weiter biegen wir um eine Ecke, die ein Sesamkringelmann markiert, und hier plötzlich riecht es nach Fisch, hier sind die Istanbuler durchsetzt von wohlgenährten, weißgesichtigen, makeupmaskierten Touristen, hier ist es hell erleuchtet, hier fühlen wir uns weniger fremd und so türkisch wie nie zuvor in der Türkei.

»Meine Mutter hat morgen Geburtstag«, sage ich.

»Schreibst du ihr ne Karte?«

»Bisschen spät jetzt.«

»Ah, ja«, er lacht: »Stimmt. Rufst sie halt an.«
»Keinen Bock. Was soll ich sagen?«
»Glückwunsch? Alles Gute? Sowas.«
»Wozu?«
»Macht man so.«
»Ist ja'n spitzenmäßiger Grund.«
»Alter: Geburtstag! Deine Mutter! Wie wärs, wenn du mal auf'm Teppich bleibst. Ist nicht alles Politik.«
»Mh.«
»Sie freut sich doch total! Außerdem sind sie bestimmt froh, mal zu hören, dass es uns gut geht.«

Wir stehen vor dem rostigen uralten Metallgestell. Es sieht schrottig aus, aber witzig.
»Was soll die scheiß Schaukel? Ist das hier jetzt'n Schrottplatz?«
»Mann, ist doch cool – kann man wenigstens ordentlich drauf sitzen.«
»Ja, und da vorne stellen wir uns jetzt noch ein altes Klo hin, da kann man auch drauf sitzen.«
»Jetzt mach doch nicht so ne Geschichte draus, freu dich lieber.«
»Ich freu mich erst, wenn du den Scheißmüll entsorgt hast«, sagt Samuel, dreht sich um und geht zur Hütte. Ich laufe hinterher.
»Kann ich nicht«, sage ich.
»Ich helf dir, wenn's sein muss.«
»Nee, geht nicht, weil … weil wir gestern endlich gevögelt haben, Lina und ich. Und dann hat sie mir die Schaukel geschenkt. Für Stambul.« Ich grinse und Samuel guckt. »Und dann haben wir sie zusammen hergetragen.« Ich sehe zu ihm rüber. »Kann ich jetzt nicht einfach wieder wegbringen.«

Er nimmt mich in den Arm und klopft überall auf mir herum.

»Glückwunsch!«, er guckt mich von oben bis unten an, als könnte man etwas sehen. »Das Ding ist trotzdem scheiße!«

Er lässt sich auf die Schaukel fallen und wippt herum, will mir zeigen, dass es quietscht. Er legt den Kopf auf die Seite. Ich setze mich einfach zu ihm und erzähle. Samuel hört zu. Ich erzähle von Lina und ihrer Haut, dem leisen Atem, wie sie meine Hose aufgeknöpft und gegen meinen Hals geflüstert hat. Dass ich ihren Slip gar nicht ausgezogen, sondern nur beiseite geschoben habe.

»Scheiße«, sagt Samuel und lacht, »jetzt hab ich nen Dicken von deiner Freundin.«

»Nicht so laut, sonst hört dich Allah.«

Wir lachen so ein Männerfreundschaftslachen in den Abend hinein, das leiser wird, bis man das Rascheln der Blätter hört. Dann donnert ein Zug vorbei.

Zu Hause, in meinem Zimmer, damals war noch Winter. Samuel läuft aufgeregt auf und ab zwischen seinem und meinem Bett: »Du bist nicht mein verdammter Therapeut, Mann!« Er ist wütend. Sein wunder Punkt, die ständige Angst, man würde ihn als Verlängerung seiner Mutter betrachten. Manchmal denkt er es sogar bei mir. Jetzt zum Beispiel und nur, weil ich ein Fachbuch in der Hand halte. Über Kinder in Alkoholikerhaushalten. Er nimmt es und läuft mit wütenden Schritten hin und her. Er dreht und wendet es, viel zu eilig, um lesen zu können, was in der Beschreibung steht.

»Was das für Scheiße?«

Ich kann mir ein Lächeln nur mühsam verkneifen. Er guckt mich an, wütend und voller Erwartung, die Mundwinkel verzogen.

»Buch«, sage ich.

»Haha«, sagt Samuel und kommt mir näher.

»Locker! Ist nicht meins«, sage ich, »hab ich vorhin bei meinen Eltern gefunden. Wahrscheinlich lesen sie sich abends daraus vor. Hab ich nur mitgenommen, weil ich wissen wollte, was sie so denken, woher ihre Weisheiten kommen. Weißt du, ich dachte, vielleicht fallen uns ein paar Sachen ein, für die Testreihe.«

Er begreift, beruhigt sich langsam, setzt sich zu mir, blättert planlos im Buch rum.

»Meinst du?«, sagt er, und fängt an, sich die Hände zu reiben, mit der rechten die linke Hand abzutasten, das Nagelbett zu prüfen. Er merkt es gar nicht, es läuft selbstverständlich, nebenbei.

»Ja, stehen lauter so Sachen drin, wie du tickst, was du machst und warum. Ist prima, können sie dein Verhalten in jeder Situation verstehen und es stundenlang diskutieren und nachvollziehen und Pläne schmieden.«

»Ja«, sagt Samuel, »und was steht da so genau drin?«

Ich nehme ihm das Buch aus der Hand, als könne er nicht selbst lesen, und schlage irgendeine Seite auf.

»Hier zum Beispiel: ›Menschen, die versuchen, so zu sein, wie andere sie gerade brauchen, müssen nicht besonders angepasst wirken. Da sie Konflikte fürchten, beziehen sie ungern selbst Position und werden eher Vermittler, Schiedsrichter oder Berater. Als Kind war es für diese Menschen nicht ratsam, sich um die eigenen Gefühle zu kümmern, es war viel wichtiger, diese zu verdrängen. Ihre Überlebensentscheidung bestand darin, für andere dazusein, sich mit all ihrer Energie, ihrem Können und ihrer Zuneigung anderen zuzuwenden.‹ Gut beschrieben, oder? Jetzt stell dir vor, ich fang an zu streiten und wenn ich dann so richtig schreie, gehst du dazwischen, so mit zittriger Stimme, ganz eingeschüchtert und so und sagst: *Jetzt hört doch bitte auf! Das ist doch nur ein Missverständnis.* Ich will ihre Gesichter sehen, irgendwann kriegen wir sie zum Heulen.«

Eigentlich hatte ich nur den Staubsauger gesucht und ihn dann schließlich im Schlafzimmer meiner Eltern gefunden. Beim Kabeleinrollen ist mir dann das Buch in die Hände gefallen. Im ersten Augenblick war ich genauso stinkwütend wie Samuel. Dass sie heimlich Psycho-Literatur lesen, um meinen besten Freund besser zu verstehen. Natürlich: gut gemeint, wie immer. Sie wollen ihm helfen. Aber wie absurd. Live-Doku: Sie können sich Samuel ein bisschen angucken, wie ein wildes Tier, wie die neueste Folge ihrer Lieblingsserie. Und sie bereiteten sich sogar vor auf jede neue Episode. Ich kann mir vorstellen, wie sie dasitzen oder in der Küche stehen und sein Verhalten lesen und analysieren und speichern, es liebevoll einsammeln und fein säuberlich in ihrer Erinnerung ablegen. Damit sie abends mit einer Flasche gutem Rotwein und Nüssen oder Käse in der Abendsonne sitzen und sich unterhalten können, über die Probleme der Menschheit am Beispiel Samuel. Ja, sie laufen durch die Welt und suchen sich Themen zusammen, über die sie nächtelang miteinander reden können. Sollen sie, von mir aus. Aber nicht über Samuel. Und nicht auf diese Art.

Aber dann kam mir die Idee, dass wir ihr Buch einfach gegen sie verwenden könnten. Dass wir ihnen Szenen vorspielen, dass wir sie überfluten, dass wir ein Drama aufführen in ihrem Haus und sie sich in Mitleid, großen Theorien und langen Gesprächen verheddern würden, über die wir lachen würden, weil wir wüssten, dass wir selbst sie inszeniert haben. Wir würden ihnen Gefühle schicken; würden sie leiten, fehlleiten und verarschen. Der Gedanke gefiel mir. Unsere Testreihe.

Bubu ist Sammler. Wer sucht, der findet, er sagt es so unerträglich oft, dass man ihn dafür schlagen möchte, wenn er sich mit seinem wichtigtuerischen Blick umdreht und mit dem immergleichen Tonfall sagt: Wer sucht, der findet. Aber es stimmt. Immer und überall findet er Zigarettenstummel, kurze und lange, Zigarren manchmal, Zigarillos. Er sammelt sie in einer abgegriffenen Metallbox, die er in einer seiner erstaunlich gut organisierten Jackentaschen trägt. Seine Jacke ist ein bisschen wie der perfekt strukturierte Arbeitstisch meines Vaters: Es gibt eine Tasche mit den vollen Bittern und eine für die leeren Flaschen, dann noch eine für Essen, das schon angekaut ist, das bald weg muss, »zweite Ware«, sagt Bubu, und außerdem noch eine Tasche für die Dinge, die er mag, die er sich noch ein wenig aufsparen möchte: Schokoriegel, Würstchen, solche Sachen. Innen die Tasche fürs Rauchen, mit der Metallbox, der Schachtel mit unterschiedlichen Streichhölzern, dem Feuerzeug und einer alten Pfeife, von der er behauptet, er habe sie geerbt von seinem Vater, der ein richtig hoher Nazi gewesen sei, was ja überhaupt der Grund für alles gewesen sei, seinen Absturz und so. Zum Glück redet er nicht oft drüber, nur wenn er gefragt wird. Es strengt ihn an, die Geschichte zu wiederholen. Seine auswendig gelernten Sätze aufzusagen, mit den immer gleichen Pausen, Betonungen, leierig wie eine zu oft gehörte Kassette.

»Auf den Alten«, sagt Bubu, bröselt die Tabakreste aus Stummeln, die zu kurz sind, als dass man sie noch rauchen könnte und stopft sich eine Pfeife. Er prostet mit der Pfeife zum Himmel, raucht und hustet rasselnd und tief. Tabakreste in der Pfeife sind sogar für Bubus teergegerbte Lungen zu viel. Er lacht und sagt: »Macht mich noch fertig, der Alte.«

Einmal dachte ich, er hätte mir Geld geklaut und ich habe seine Jacke durchsucht, während er schlief, besoffen. Hatte er nicht. Dafür fand ich in dem briefmarkengroßen Fach auf der Innentasche einen kleinen Zettel. *Testerment,* stand in einer krakeligen Kinderhandschrift darauf. Nichts sonst, kein Wort.

In seinen Hosentaschen sind die übrigen Dinge, die ihm den Tag über in die Hände fallen und noch wegsortiert werden müssen: Schlüssel, Broschen, Mützen, Uhren, Handys, alles, was man auf der Straße, beim Wühlen und Sammeln eben finden kann. Sein Rentnerrollwagen ist nur für die Flaschen, fürs Pfand und fürs Besteck, wie Bubu sagt: ein Greifarm, das Stück Seife, die Flasche mit dem Wasser, zum Händewaschen, wenn er in Hundescheiße gefasst hat oder in Ketchup oder so. Minensucher.

Wenn wir dasitzen und seine gesammelten Fluppen rauchen, dann versuchen wir zu schmecken, zu riechen, dann versuchen wir, uns vorzustellen, wer die Zigarette angefangen hat, was der für ein Leben hat und warum er die Zigarette wann und in welcher Situation weggeworfen hat. So haben wir irgendwann angefangen, ab und zu ein bisschen miteinander zu reden: indem wir uns Geschichten erzählt haben über Menschen, die es gar nicht gibt, über ausgedachte Leben, über Frauen, wunderschöne französische Frauen, deren Lippen unsere Zigarette schon gestreichelt hatten. Männer, Anzugträger mit Potenzproblemen oder perversen Vorlieben. Am interessantesten waren die Selbstgedrehten. Ob mit Filter oder ohne, fest gedreht oder locker, manche dünn, zart und elegant, andere klumpig und dick und geknickt, ungleichmäßig abgebrannt, manche wie Joints gedreht. Manchmal war Lippenstift am Filter, wir haben uns im Scherz um diese Zigaretten gestritten.

Bubus Alter zu schätzen, ist nicht einfach. Er muss so um die fünfzig sein, auch wenn er aussieht wie Mitte sechzig, mit seinem schmierigen, nikotingelben Bart. Bubu lebt mit seinem noch verkümmerteren Bruder Moppel zusammen in einer Sozialwohnung am Stadtrand, nicht besonders weit entfernt von Samuels und Irenes Wohnung. Sie haben sogar Inventar: alte, vollkommen geschmacklose Spanplattenmöbel, einen Wohnzimmerschrank, ein Tischchen, eine Art Einbauküche. Aber alles stinkt und schimmelt. In die Ecken und Ritzen des Sofas sind alte Klamotten gestopft, vollgeschissene Hosen. Müll und Gestank, klebrige Flecken. Ungelüfteter Muff. Anders als bei Irene, schlimmer, viel schlimmer. Ich vermute, dass Samuel nur so tut, als würde er in der Wohnung nichts anrühren, das sich außerhalb seines Zimmers befindet. Ich wette, er lüftet und räumt unauffällig auf.

Kurz nachdem Samuel und ich Stambul eingeweiht hatten, fing ich das Rauchen an. Offiziell und wohlüberlegt. Kein Hineingeratensein, kein Gruppenzwang. Nach der Schule kaufte ich mir eine Packung Zigaretten am Automaten und am Abend holte ich sie nach dem Abendbrot aus meiner Tasche, steckte mir wie selbstverständlich eine Zigarette in den Mund und fing an zu rauchen. Ich paffte, natürlich, ich hatte ja gar keine Ahnung, wie man rauchte und einmal zog ich aus Versehen Rauch in die Lunge und hustete fürchterlich. Aber ich hielt durch und rauchte zu Ende, aschte ab und zu auf meinen leeren Teller. Meine Eltern saßen da und sahen mir zu. Sie versuchten, mir nicht zu viel Aufmerksamkeit zu schenken, unterhielten sich also weiter. Als ich fertig war, drückte ich die Zigarette auf dem Teller aus und begann, den Tisch abzuräumen. Mein Vater sagte: »Weil es deine erste war, okay. Aber hier drinnen und am Tisch wird nicht geraucht. Wenn du glaubst, rauchen zu müssen, bitte sehr, aber nicht hier drinnen, damit das klar ist.« Das war alles.

»Ich könnte das nicht so wie du«, sagt er, und ich würde gern ein Foto von seinem Gesicht machen, damit er mal sehen kann, wie beknackt er aussieht, wenn er meint, er müsse leidenschaftlich gucken. »Ich könnte keine Frau küssen und ihr sagen, dass ich sie liebe und gleichzeitig wissen, dass ich nicht mein Leben mit ihr verbringen werde.«

»Weißt du doch gar nicht, oder hast es schon mal ausprobiert?«

Er schüttelt den Kopf und wirft einen übersehnsüchtigen Blick in die Weite der Kleingartenkolonie. Dann sieht er mich ernst an und es kleckern ein paar Worte aus seinem Mund: »Nein, das meine ich ja: Ich könnte das eben gar nicht ausprobieren. Aber das verstehst du nicht«, er seufzt sich eine dramatische Pause zurecht. Meine Eltern sind daran Schuld, dass er manchmal so hakelig und merkwürdig redet. Wollten ihm beibringen, dass er, wenn er über Gefühle redet, darüber nachdenkt, was das wirkliche Gefühl ist, das er zu dem hat, wovon er gerade spricht. Deshalb stottert er und denkt jetzt ewig über jedes Wort nach, wenn ihm etwas besonders wichtig ist und er sich ernst genommen wissen möchte.

Früher hat Samuel drauflos geredet und immer gelacht, wenn er über Gefühle gesprochen hat. Hat mit einem fetten Grinsen im Gesicht und ganz nebenbei von Irene erzählt, während das Radio dudelte, wir Gemüse geschnippelt oder Computer gespielt haben: »Sie hat dann ja irgendwann schon immer morgens getrunken. Dann hatte sie immer erst so gute Laune, hat Musik angemacht, so laut, dass ich immer Angst hatte, gleich würde die Polizei kommen oder wenigstens die Nachbarn. Und sie hat mitgesungen und wenn sie dann Pegel hatte, hat sie getanzt, so früher Nachmittag. Manchmal kam ich aus der Schule und sie ist mir gleich um den Hals gefallen. Dann haben wir getanzt, manchmal richtig lange. Wie Bekloppte im Wohnzimmer rumgesprungen oder wie im Film, ganz romantisch und so, als wenn wir's wirklich könnten, da haben wir uns manchmal richtig Schritte ausgedacht, so ganze Tanzeinlagen. Und wenn ich nicht mehr wollte, hat sie alleine getanzt und ich saß dann so rum und hab zugeguckt und ihr applaudiert. Und später erst, wenn die Wirkung etwas nachgelassen hatte, vielleicht hatte sie dann Kopfschmerzen oder so, auf jeden Fall schlechte Laune, hat sie mich meistens angemeckert, warum ich ihr immer die Stimmung vermiesen muss. Warum ich miesepetrig sein muss, wenn es ihr gut geht und nicht einfach mal mit ihr tanze. Dann ein paar Stunden Streit, ihre schlechte Laune, sie hat dann immer rumgemeckert und gemotzt, dann hat sie einfach weitergetrunken währenddessen und irgendwann tat ihr dann alles Leid. Dann hat sie mich umarmt und geküsst, das war eigentlich schön und wir haben uns dann zusammen ins Bett gelegt und sie ist eingeschlafen, ganz nah bei mir. Wenn ich so an ihr dran lag, hab ich immer darauf geachtet, dass wir im gleichen Tempo, im gleichen Rhythmus atmen, damit ich ihre Fahne nicht riechen musste.«

Er hat es erzählt und die ganze Zeit gegrinst. Immer lachen, immer Schulter zucken. Irgendwann ist mir aufgefallen, wie er mein Gesicht nach Regungen und Reaktionen absucht, wenn er seine Geschichten erzählt und tut, als seien sie witzig. Er will wissen, wie man reagiert. Er weiß es nämlich nicht, glaube ich. Einmal saßen wir im Wohnzimmer meiner Eltern und er hat erzählt, wie Irene sich manchmal spät abends noch fertig gemacht hat und losgezogen ist: »Dann stand ich manchmal die ganze Nacht vorm Fenster und bin in Gedanken mitgegangen. Hab mir ihren Weg ganz genau vorgestellt. Jeden Schritt. Dann hatte ich das Gefühl, dass ich bei ihr bin und auf sie aufpasse.«

Ich musste mir den kleinen Samuel vorstellen, mit seinen Locken, wie er am Fenster steht und auf die Straße glotzt. Ich musste heulen, das passiert nicht oft. Das war der Moment, in dem ich es verstanden habe. Ich habe es kapiert, weil Samuel mich so gierig angeguckt hat. Gierig und mit offenem Mund und als es ihm auffiel, dass ihm seine Züge entglitten waren, genauso wie mir, nahm er wieder Haltung an, klopfte mir auf die Schulter und lachte aufmunternd: »Schwul, oder was?«

[In der Mitte des Bildes ist ein rotes Auto zu sehen, das am Straßenrand parkt. Weit dahinter, auf dem Bürgersteig, laufen Hand in Hand zwei Kinder an einem kleinen Kiosk vorbei. Vorne links steht eine Frau, die sich zur Seite dreht. Ein Schnappschuss, aber wie inszeniert.]

Ich habe eine Telefonkarte gekauft, stehe am Automaten und wähle meine Nummer. Ich höre das leise Rattern, Knacken, das Tuten und es ist, als hörte ich, wie das altvertraute Klingeln des kleinen grünen Telefons mit Drehscheibe durch das Haus meiner Eltern läuft: Büro, Arbeitszimmer, durch den Flur leiser hinüber in Küche, Wohn- und Esszimmer, dann die Treppen hinauf und hinab, kaum noch hörbar. Die Stimme meiner Mutter.

»Hey.«

»Janik!«

»Herzlichen Glückwunsch.«

»Oh, danke. Das ist lieb.«

»Und alles Gute.«

»Dass du dran gedacht hast.«

»Klar.«

»Wie geht's euch?«

»Gut. Dir?«

»Prima. Erzähl!«

»Erzähl du. Hast du was Schönes bekommen?«

»Ach, weißt du doch.«

»Ach klar, ja.«

Sie spenden das Geld für Geschenke jedes Jahr einer anderen Organisation, bitten auch Freunde und Bekannte, auf Geschenke zu verzichten und zu spenden. Man wüsste auch nicht, was man ihnen schenken sollte. Sie brauchen nicht viel und was sie wünschen, haben sie. Hätten sie es nicht, würden sie es anschaffen, mit schlechtem Gewissen und nach langer Diskussion.

»Gut. Was, äh, was macht ihr heute noch?«

»Ja, kommt noch Besuch später, Kuchen, Essen, bisschen Musik. Wie immer. Im Garten grillen. Ach wie schön, dass du anrufst. Wir hatten uns schon ein bisschen Sorgen gemacht. Ich meine: natürlich musst du dich nicht ständig melden, aber man hat dann doch ein etwas merkwürdiges Gefühl, euch so lange nicht zu sehen, nichts zu hören und ihr seid so weit weg und man weiß so gar nichts. Ich freue mich total. Das ist ein schönes Geschenk von dir!«

»Ach was«, ich lächle verlegen. Natürlich kann sie das nicht sehen. Ich komme mir dumm vor.

»Wie ist das Wetter bei euch?«

»Sonne, immer, heiß, gut.«

»Schön! Hier auch. Also bestimmt nicht so heiß wie bei euch, aber, ja: Sommer.«

»Ja, also dann … ich wünsch dir noch nen ganz tollen Tag, mach's gut und so weiter, alles Liebe, ich soll dich auch von Samuel drücken und dir alles Gute wünschen, grüß den alten Mann und lass es dir gut gehen. Ich muss jetzt langsam …«

»Ja. Ja, Janik, ich, ich hab mich wirklich gefreut.«

»Ja, ich mich auch, also dann …«

»Janik, halt, eins muss ich noch … dir unbedingt erzählen.«

»Was denn?«. Ich bin doch einigermaßen schroff. Eigentlich gibt es keinen Grund, außer dem, dass ich mir so seltsam klein vorkomme, wie ich hier in diesem Telefon mitten im riesigen Istanbul lehne und meiner Mutter zum Geburtstag gratuliere.

»Irene war hier.«

»Was?«

»Irene war hier, bei uns.«

Ich stocke. Ich schlucke. Ich sage kein Wort, es pocht in mir, kurz und heftig. Es zieht sich ein Loch durch mich.

»Irene, weißt du, Samuels Mutter.«

»Ja! Ich weiß, wer Irene ist.«

»Ja, also, ich hatte ja noch nie mit ihr gesprochen, vorher. Also, ich meine, ich kannte sie nur vom Sehen, weißt du.«

»Ja. Und?«

»Ja, sehr interessant und … angenehm. Eine angenehme Frau, im Grunde.«

»Heißt?«

»Ja, sie war so eine halbe Stunde hier vielleicht. Wir haben Kaffee getrunken, uns unterhalten.«

»Über?«

»Euch.«

Mir zieht sich alles zusammen. Etwas löst sich in meinem Nacken, läuft durch meinen ganzen Leib, ein Schauer, ein Ekel, eine Angst.

»Was?«

»Ich konnte ja nicht wirklich was erzählen über euch, wusste ja auch nichts, habt euch ja nicht gemeldet.«

»Und sie?«

»Irene? Naja, auch nichts, die hat ja wohl nicht mal ein Telefon. War eher so da, um mal zu erfahren, wo genau ihr überhaupt seid. Wenn ich das richtig verstanden habe, dann hat sie das wohl gar nicht richtig gewusst – und wann ihr wiederkommen wollt und so. Ja, und dann hat sie von sich erzählt.«

»Was hat sie erzählt?«

»Dass sie eine Therapie macht und nicht mehr trinkt, das hat sie erzählt.«

»Was?«

»Ja, und dass es ihr gut geht, sehr gut sogar und dass sie es ernst meint und mal ehrlich: Sie hat sehr klar gewirkt, sehr … aufgeräumt, klug. Ja, klug, kann man sagen.«

»Und sonst hat sie nichts gesagt?«

»Ja, nee, nichts besonderes sonst, wir haben halt die meiste Zeit darüber geredet, verständlicherweise …«

Meine verkrampften Muskeln lösen sich etwas, ich schließe kurz die Augen. Unglaublich.

»Gut, Mama, ich … äh, ich leg jetzt mal auf, mach's gut, genieß deinen Tag.«

»Ja, du auch, grüß Samuel schön von uns und …«

»Okay, tschüß!«

Ich hänge ein, drehe mich um, laufe ein paar Schritte, lasse mich auf einen Steinklotz fallen, sitze, sinke. Um mich ziehen Leute, rauschen Autos, ich bin in mir. Woher diese Angst? Sie könnte es erzählt haben. Jetzt macht sie eine Therapie, trinkt nicht mehr, hat meine Eltern besucht, sich in meine Welt begeben. Sie hat sich nach uns, nach Samuel und auch nach mir erkundigt. Ich erinnere mich, wie ich mit dreizehn oder vierzehn meine Mutter einmal nach dem Einkaufen durch die Fußgängerzone gezogen habe, zu dem Supermarkt und dem Baum, um ihr Irene zu zeigen. Wie wir in zwanzig Meter Entfernung da standen und verstohlen zu ihr rüberblickten, wie ich in eine andere Richtung sah als meine Mutter und ihr Irene währenddessen beschrieb, damit sie sie erkennen und endlich die Mutter von Samuel sehen konnte, der schon damals immer bei uns war, halbadoptiert sozusagen. Sie wollte wissen, wer seine Mutter war und ich wollte sie ihr zeigen, wollte wissen, was sie sagen würde, wie sie sie ansehen und finden und wie sie reagieren würde.

Ich blinzele in das Licht, das durch die hellgrünen Wipfel über mir fällt, suche Samuel, sehe ihn in einer Gruppe stehen, vorn bei den Bänken am Wasser. Er lacht und gestikuliert, ich überlege, wie und wann ich ihm davon erzähle. Soll ich aufstehen und zu ihm rennen, wie ich es am liebsten täte, überschwänglich und aufgeregt oder ganz im Gegenteil: beiläufig und leidenschaftslos. Ich kann nicht einschätzen, was es mit ihm anstellt, diese Nachricht. Eine gute Nachricht, eine sehr gute Nachricht, natürlich, aber was hat sie hier und jetzt zu suchen, bei uns, in Istanbul. Ich denke, sie wird doch nur erschweren, was uns hier gelingen soll. Dass man das Zuhause nur so mühsam abschütteln kann, dass es sich einem immer und immer wieder so hartnäckig aufdrängt und bis in den letzten Winkel der Welt nachfolgt, denke ich und werde wütend. Vielleicht war es einfach falsch, anzurufen. Ich weiß nicht, ob ich Samuel vor der Nachricht schützen, sie ihm verschweigen sollte. Vielleicht wird er verletzt sein, dass sie sich gerade jetzt zum Aufhören entschließt. Als wollte sie ihm zeigen, dass sie ihn dafür nicht braucht. Wir haben nie darüber gesprochen, was es für ihn bedeutet, zu gehen, es war auch ohne Worte klar. Samuel sorgt sich um seine Mutter und für sie, seit er laufen kann. Ich weiß, was es ihn an Überwindung gekostet hat, nach Istanbul zu gehen. Und jetzt meldet sie sich zurück und stellt alles auf den Kopf.

Ich hasse, dass Eltern diese Macht besitzen, sich immer und ständig einzumischen und alles durcheinander zu bringen. Man muss sie ausschließen, so oder so, egal, ob sie Heroin spritzen oder Plätzchen backen. Sie werden immer einen Platz in unserem Leben fordern, sie schummeln sich hinein, mit Tränen, Blumen oder Häkelsachen. Eltern müssen egal sein, man muss sie vergessen, vergraben, man muss sich gegen sie verhärten. Oder man wird ewig ihr Kind bleiben.

Ich stehe auf und laufe langsam zu ihm rüber. Ich weiß nicht, was ich ihm sagen werde.

An meinem Geburtstag: Es dämmerte schon, als wir das erste Mal stehen blieben. Wir kauften Bier an einer Bude, das uns anders schmeckte oder sich anders anfühlte als sonst, so als hätten wir es uns verdient, kühl und richtig in diesem Moment. Wir fühlten uns ein bisschen wie in einer Werbung, glaube ich. Kennt man doch, diese benutzten Gefühle, die man sich überzieht, bis man merkt, woher sie kommen.

Über uns hatte es sich ein bisschen zugezogen, es war fast kühl, aber das spannte nur die Haut unter unseren zu dünnen Shirts. Samuel guckte in den Himmel. »Könnt Regen geben,« sagte er. Ich zuckte mit den Schultern und grinste zurück. Regen war mir sowas von egal. Die Menschen fingen langsam an zu tanzen. Und ich hätte platzen können vor Kraft und guter Laune.

Ich sah für einen Moment zur Bühne, eine unerträglich schlechte Coverband, aber auch das fand ich eher witzig als ärgerlich und als ich mich wieder nach Samuel umdrehte, war er plötzlich verschwunden. Ich suchte ihn ein paar Minuten lang, lief planlos in die eine, dann in die andere Richtung, zweimal rief ich nach ihm, aber Samuel war weg.

Ich weiß noch, ich fühlte mich gut, weil ich so voll von mir selbst war, dass ich jedem zulächeln konnte. Es war genug davon da an diesem Abend.

Wenn ich Lina nicht bei ihr treffe oder bei mir, sondern draußen, laufen wir fast immer die Straßen rund um den Bahnhof auf und ab. So als folgten wir einer geheimen Abmachung – dieselbe Strecke immer wieder. Laufen, vor sich hingucken, zusammen sein. Wir treffen uns und wissen nicht so recht, warum. Wir folgen irgendeinem unverständlichen Skript, laufen schweigend nebeneinander her, jeder in seine Welt versunken. Es ist, als müssten wir erst etwas erledigen, einen

Dienst ableisten. Als müssten wir uns die Stunden bei ihr oder bei mir erst verdienen, in denen wir auch schweigen, aber unsere Körper mit großem Interesse ineinander verflechten. Die konzentrierte Stille, in der wir beieinander liegen, von Zeit zu Zeit ein leises Stöhnen, ein unabsichtliches Schmatzen, ein erregtes Atmen vielleicht. Was sollten wir auch reden? Ich rede mit Samuel. Keine Ahnung, mit wem Lina redet. Irgendwann setzen wir uns in ein Café oder eine Kneipe, rühren uns gegenseitig Pfeffer in den Kaffee, das ist unser Spiel, gucken uns an und halten unsere Hände, was das Angenehmste von allem ist. Sobald unsere Körper aufeinander treffen, funktioniert etwas. Warum muss man sich etwas zu sagen haben, nur weil zwei Körper sich verstehen.

»Ja, und wie: Hast du den denn noch mal wieder gesehen?« Ich meine Joachim, der das Urlaubsfoto gemacht hat.

»Nee, war weg dann.«

»Wie, weg?«

»Na, ist nicht mehr gekommen, mein ich. Erst noch hat er's probiert, so'n paar Wochen alles gegeben. Vollgas-Vater, Vollgas-Mann, immer mit Blumen und Geschenken gekommen, ständig Ausflüge und mit mir gespielt, weil er natürlich schon gemerkt hat, dass er ihr auf den Sack geht. Hat er dann probiert, sich unentbehrlich zu machen, mich so auf seine Seite zu ziehen, weißte.«

Ich nicke. »Und dann?«

»Ja, Blödsinn, hat natürlich nicht funktioniert. Sie hat ihn rausgeworfen, hab ich doch schon gesagt.«

»Warum denn?«

»Phh«, er zuckt die Schultern, guckt lustlos im Raum herum. »Zu langweilig, zu eng, zu normal. Der war ja auch älter, schon so Mitte dreißig, sie war ja gerade mal Mitte zwanzig, der war halt voll auf Familie. Kennst sie ja. Da hat sie Platzangst gekriegt, denke ich. Stell dir das mal vor, da will so'n Langweiler dir sein Leben aufschwatzen. Sagt man dann *ja, danke*, nur weil der nett zu deinem Kind ist und ein festes Einkommen hat? Wollt sie nicht, kann ich verstehen. Netter Kerl, ja, aber ...«

»Mh, verstehe. Und dann hat er sich nie wieder gemeldet?«

»Ach«, Samuel fängt an zu lachen, »nee, kann ich aber auch verstehen, so, wie die ihn rausgeworfen hat. Das ging schon einige Wochen so. Boah, wenn ich mich so erinnere, echt fies. Sie hat ja eigentlich kaum was getrunken in der ganzen Zeit, aber so in den letzten Monaten war ich abends meistens alleine mit ihm. Er hat mich ins Bett gebracht und sie hat sich zugesoffen und gesungen und getanzt. Einmal hat er bei mir am Bett gesessen, weiß ich noch genau, hat mir vorgelesen und er musste ziemlich laut lesen, weil die Musik so laut war und ihr, naja, Gesang. Und dann plötzlich, so mitten im Satz kippt seine Stimme weg und er fängt an zu heulen. So richtig, schluchzt und weint und es läuft nur so aus ihm raus.« Samuel lacht und wirft den Kopf ein bisschen in den Nacken: »Und dann hat er immer wieder versucht, wenigstens den einen Satz zu Ende zu lesen. Mann, ich lag da in meinem Bett und hör die Musik, Irenes Gekrächze und neben mir dieser dicke, ordentliche Mann, der es nicht schafft, den einen Satz zu Ende zu lesen.«

»Wie lange ging das?«

»Wochen, vielleicht Monate, echt. Die wollte ihm das irgendwie zeigen. Dass sie sich nicht einschnüren lässt von seinem Leben.«

»Find ich ja gut, eigentlich.«

»Ja, phh.« Samuel zuckt die Schultern. »Für ihn war's ganz schön scheiße.«

»Für dich?«

Wieder Schulterzucken. »Weiß ich nicht. Kann ich mich nicht dran erinnern.«

»Wieso, weißt doch alles noch genau.«

»Ja, so die Sachen, was passiert ist. Sonst weiß ich nur, was ich gemacht hab damals, aber ich glaub, ich hab da nicht groß was gefühlt oder so, war ich auch noch zu klein für.«

»Man ist doch nicht zu klein zum Fühlen.«

»Jetzt komm nicht wieder mit deiner Pferdeflüsterer-Nummer. Ich kann mich nicht erinnern und fertig.« Er guckt mich böse an. In solchen Situationen habe ich Angst, dass ich bin wie meine Eltern, dass ich klinge wie sie.

»Erzähl mal, wie sie ihn rausgeschmissen hat.«

»So ganz genau weiß ich das auch nicht mehr, aber das war ne harte Nummer. Er war ja sowieso schon die ganze Zeit ohne Ende eifersüchtig. Ist ja klar, was sie dann gemacht hat, wenn sie unterwegs war und er hat halt von Ehe und Einfamilienhaus und Cluburlaub geträumt und seine Freundin zieht dann nachts durch die Gegend und so. Naja. Kannste dir denken. Er war dann eben auch einfach verzweifelt, hat sich alle Mühe gegeben und sie ist ihm einfach abgehauen, hat seinen ganzen Plan kaputt gemacht. Er konnte ja überhaupt nichts machen und dazu war sie eben auch noch hübsch und er war eigentlich ein fetter, hässlicher Typ, der hatte sowieso krasse Komplexe, schätze ich. Er hat ihr dann immer Szenen gemacht, manchmal ist er ihr gefolgt, glaube ich, hat auch mal versucht, sie aus einer Kneipe rauszuholen. Und hat sich da wohl geschlagen oder zumindest auf die Fresse bekommen.« Er lacht und zeigt sich auf sein Auge: »Hatte die letzten Wochen, die wir uns gesehen haben, so'n richtig dickes, geschwollenes, blaues Auge.«

»Und dann?«

Er zuckt die Schultern: »Einmal wollte er sie festhalten, hat sie im Bad eingesperrt. Da bin ich nochmal aufgewacht von dem Geschrei und dem Geheul. Der war auch völlig durcheinander. Stand ganz durchgeschwitzt und mit so großen Augen und nervösem Blick vor der Tür und ist so auf und ab getigert. Der wusste ganz genau: Ich kann sie da nicht drin lassen, aber wenn ich aufschließe, ist sie weg. Und sie hat da drinnen getobt und sich gegen die Tür geworfen und den Spiegel zerschlagen und alles. Ich hab dann nur gesagt, dass ich aufs Klo muss, damit er die Tür aufmachen muss. Und als sie dann raus war, hat sie auf ihn eingeschlagen, da stand ich daneben und er hat sich nicht gewehrt, wusste er ja auch, dass das nicht geht. Ich bin dann einfach ins Klo gegangen und hab aufgeräumt. Ja, und an den letzten großen Streit kann ich mich nicht genau erinnern. Ich hab in meinem Zimmer gelegen und hab's mehr so halb mitbekommen. Sie hatte halt irgendeinen Typen gehabt und so richtig provokant und wahrscheinlich so halb öffentlich mit ihm rumgevögelt. Auf jeden Fall so, dass Joachim davon Wind bekommen hat, wahrscheinlich Wind bekommen sollte. Ja, und dann wie immer: sie nach Hause, er Szene gemacht und dann ist sie halt richtig durchgedreht. Die hat ihn so fertig gemacht, ich weiß nicht mehr genau, was sie gesagt hat, und sie hat ihm dann ja auch gleich alle Sachen vor die Tür geworfen. Das wars dann einfach.«

»Was hat sie denn gesagt? Ungefähr.«

»Mann, weiß ich nicht, ist fünfzehn Jahre her oder so ...«

»Ungefähr.«

»Weiß nicht: Niete im Bett, der andere hat sie richtig rangenommen und so. Er fett und hässlich und langweilig und dann halt so, dass sie sich nicht einsperren lassen will und erst recht nicht von so nem Spasti und dass der letzte Abschaum interessanter ist als er. So die Schiene.«

»Mh.«

»Er ist dann noch mal zu mir ins Zimmer. Ich hab so getan, als ob ich schlafe und er hat sich an mein Bett gesetzt und hat mir über den Kopf gestreichelt. So Abschiedsnummer.«

»Mann.«

»Ja, ach. Aber auch nur, um es Irene vorzuspielen.«

»Meinst du?«

»Ach klar. Der mochte mich schon, aber … nee, dem war ich doch egal in dem Moment.«

Ich muss mich hüten, ihn nicht in den Arm zu nehmen. Er will kein Mitleid, er redet wie von einem fernen, einem fremden Unglück. Und so ist es auch, weil es nichts mit diesem Samuel von heute und hier zu tun hat.

»Und dann habt ihr euch nie wieder gesehen?«

Er schüttelt nur den Kopf und beißt sich ein bisschen Haut vom Mittelfinger.

»Hast ihn nie gesucht?«

»Nein, Mann, wozu?!«

Ich zucke die Schultern.

»Weiß nicht, einfach so. Wart euch ja immerhin ein paar Jahre ziemlich nah. Würd dich das nicht interessieren, was der jetzt so macht?«

»Ja, weiß nicht, ich glaub nicht, dass ich den mögen würde. Und dann würd's mich vielleicht nur enttäuschen. Und außerdem weiß ich nicht, was soll ich dann mit dem? Und was soll der mit mir? Woran ich den erinnern würde. Der würd in mir auch eh nur Irene sehen. Ich meine, ja, er hat mir Kinderbücher vorgelesen und mich zum Kindergarten gebracht, aber war jetzt ja auch nicht so, dass wir Freunde gewesen wären oder so was.«

»Ja, aber …«

»Nee, nichts aber. Ich hab den nie vermisst. Und fertig.«

Ich nicke. Ich würde ihn gerne sehen und fragen, was Samuel für einer war, damals.

»Wie hieß der jetzt nochmal?«

»Joachim.«

»Und weiter?«

Er grinst mich an: »Nee, vergiss es. Denk nicht mal dran, du Arsch.«

Ich grinse zurück: »Warum nicht? Lass den doch mal besuchen gehen.«

»Fick dich, Mann, kauf dir Kreuzworträtsel, wenn dir langweilig ist.«

Kücükpazar. Wir sitzen in einem kleinen Imbiss und essen Suppe und Brot. Ich sehe ihm gerne zu, wie er hier isst, wie er verträumt das Brot in die Suppe stippt oder kleine Bröckchen abzupft und sie in die Schale wirft, rührt und aus dem Fenster sieht. Er lächelt mich an. Ich traue mich nicht, den Namen Irene auszusprechen, das merke ich deutlich, jetzt, als ich denke, es ist endlich an der Zeit. Wir haben das alles sorgsam vermieden bisher, es hat keine Rolle gespielt. Jetzt ist es wieder da. Ein Anruf und alles ist zurück. Seit zwei Wochen stapfe ich eilig hinter ihm her, bin ich so begeistert und großäugig wie Samuel, spiele ich sein heimliches Detektivspiel mit. Wir streifen durch die Straßen, laufen die Viertel ab, ohne eine Straße auszulassen, was albern ist, aber einem Plan folgt. Ich mag es, einen gemeinsamen Plan mit ihm zu haben, auch wenn das Ziel neblig und zu verrückt ist, um es auszusprechen. Ohne es zu sagen, suchen wir seinen Vater, jedenfalls tun wir so. Wir suchen in Istanbul, wir suchen einen Mann, von dem wir nur wissen, dass er Osman heißt, wir suchen, ohne auch nur zu ahnen, wie er aussehen könnte.

Aber es geht nicht um Logik. Es ist ein bisschen wie das

Bubu-Prinzip, das Flaschensammeln: mit einem Plan durch die Straßen zu gehen, etwas zu tun zu haben, sich nicht treiben zu lassen wie ein Anfänger. Machen wir eben Fotos von solchen, die Samuel sich als Vater vorstellen kann, wir brauchen nicht mal darüber zu reden. Wir sind Seite an Seite und dass ich gar nicht erst frage, macht die Sache eigentlich nur verbindlicher. Jetzt sitze ich ihm gegenüber und weiß, ich sollte es sagen.

»Weißt du, was meine Mutter vorhin erzählt hat?«

»Hä?«, er guckt mich an, hat nur halb verstanden.

»Am Telefon.«

»Nee, was?«

»Hat erzählt, dass Irene sie besucht hat.«

»Was?«

»Ja, hat gefragt, wo wir sind und wann wir wiederkommen.«

»Nein!«

»Doch und dass sie, also, dass sie wohl angeblich in Therapie gegangen ist und, naja, nicht mehr trinkt oder so, keine Ahnung.«

Samuel löffelt weiter Suppe und guckt tief in seine kleine Schale. Dann zuckt er die Schultern und lächelt mich an: »Na, läuft doch alles«, er hebt die Schale zum Mund, trinkt sie aus und stopft sich Brot in den Mund, kaut und sagt: »Ist ja lustig, dass sie zu deinen Eltern geht.«

Ich nicke: »Ich hatte vielleicht Angst.«

»Dass sie's deinen Eltern erzählt?«

»Mh.«

»Wundert mich ehrlich gesagt, dass sie nicht selbst Angst hatte, dass deine Eltern alles wissen. Wie hätte sie denn dann ausgesehen.«

»Echt. Kann ich mir nicht mal vorstellen, ausnahmsweise, wie meine Mutter da reagiert hätte.«

»Ich auch nicht.«

Der Kellner bringt uns Tee und Zucker, er lächelt.

»Hast du Angst?«

»Wovor?«

»Um sie. Wenn du weg bist, meine ich.«

Samuel zuckt die Schultern.

»Ja, hab versucht, nicht dran zu denken. Ich muss mal pissen.« Und er steht auf und geht.

[Das Foto trifft die Frau in der Bewegung. Sie dreht sich und ist dadurch etwas unscharf, ihre linke Hand und der Unterarm sind verwischt. Es sieht aus, als wolle sie eilig die Hand vor ihr Gesicht bringen, sich verstecken. Sie will nicht fotografiert werden, so sieht es aus.]

Ich lehne etwas doof am Zaun vom Beşiktaş-Stadion und finde die Vorstellung witzig, wie es für die Menschen in den vorbeirasenden Wagen aussehen muss: der übertriebene Winkel, mein Gesicht zwischen zwei Zaunstangen gepresst. Es drückt an den Wangenknochen, mein Mund in die Breite gezogen, die Leute denken, ich sei ein Idiot. Samuel zeigt auf einen Tribünenrang: »Geiler Ausblick«, sagt er, »wenn das Spiel langweilig ist, guckt man einfach auf den Palast und auf den Bosporus.«

»Ehrlich gesagt«, sage ich, »habe ich keine Ahnung, wie wir das alles überhaupt rausfinden sollen.«

Ich habe schlechte Laune, bin müde vom ganzen Rumlaufen. Mein Kopf tut weh.

»Was alles rausfinden?«, fragt Samuel.

»Ja, Preise, Vorschriften, den ganzen Kram.«

»Na, fragen.«

»Ja, und wen und wie?«

»Mach ich schon.«

»Und wie viel kann man auf die Antworten geben?«

»Was willst du denn eigentlich?«

Ich drehe mich und gucke ihn an. Samuel grinst schief, als er mich ansieht, ich wette, über die Abdrücke der Metallstangen in meinem Gesicht, ich reibe meine Wangen.

»Ja, frag mal einen: Was bezahlst du denn eigentlich für den Laden hier? Meinst du, der sagt dir das einfach?«

»Warum nicht?«

»Weil die einem das hier nie einfach so sagen, weil die immer ihren komischen Handelskram machen, feilschen und so.«

»Wir wollen ja nicht gleich kaufen.«

»Ach.«

»Ja, warum sollen sie dann handeln.«

»Mann, weiß ich nicht, weil eben. Glaub ich einfach nicht, dass das ne seriöse Art ist, irgendwas rauszubekommen. Die werden uns einfach immer verarschen und über'n Tisch ziehen. Wir sind einfach zwei kleine deutsche Jungs und das hier ist Istanbul und Istanbul ist nunmal einfach voll von ausgefuchsten Arschlöchern.«

»Was sind'n das jetzt für bekackte Sprüche, die du hier ablässt?«

»Ist einfach so, ist in jeder großen Stadt so, da versucht immer jemand, den dummen Provinztrottel abzuziehen.«

»Meinst du eigentlich, ich bin bescheuert und merk das nicht?«

»Weiß ich auch nicht. Mann, ey, können wir uns mal irgendwo hinsetzen, ich kann irgendwie nicht mehr.«

»Ja, setz dich doch hin.«

Mein Hintern rutscht an den weißen Metallstangen hinunter und landet halbsanft auf dem Asphalt, ich gucke zu Samuel hoch.

»Wie sollen wir denn überhaupt an Geld für irgendwas hier kommen? Das ist doch alles überhaupt gar nicht realistisch. Wie sollen wir zwei denn direkt nach der Schule nen Laden in scheiß Istanbul aufmachen?«

»Was'n los mit dir? Arbeiten, Kredit, wenn man das will, dann geht das schon. Zur Not deine Eltern.«

»Meine Eltern?«

»Ja.«

»Nee.«

»Warum?«

»Weil ich das nicht will. Ich will doch nicht Geld von meinen Eltern. Das ist doch voll der Quatsch. Hauen wir extra weit ab, um den ganzen Scheiß hinter uns zu lassen, um unabhängig zu sein und dann bauen wir uns was auf mit deren Geld? Blödsinn!«

»Du gehst mir auf den Sack, weißt du das?«

»Ja, du mir auch.«

»Versteh ich nicht: Die haben doch eh die Kohle.«

Ich sitze schon seit einer Weile in Stambul, auf der rostigen, quietschenden Hollywoodschaukel von Lina. Schaukele behäbig und ärgere mich darüber, dass ich schon wieder zu faul bin, für die Klausuren zu lernen, es stattdessen interessanter finde, auf den lahmen Kanal vor mir zu glotzen und nichts zu denken.

»Guck mal, was ich eben beim Aufräumen gefunden hab, zu Hause«, sagt Samuel und schmeißt sich schwungvoll in die Schaukel. Ich habe kurz Angst, dass sie zusammenbricht, aber die Schaukel ächzt nur metallisch und schaukelt in eine Richtung, für die sie nicht ausgelegt ist.

»Was?«, frage ich.

Er hält mir die Zigaretten unter die Nase.

»Hey, Zigaretten!« Ich bin nicht beeindruckt.

»Hab ich in ner alten Vase gefunden, die sind schon zwanzig Jahre alt oder so.«

»Wow.«

»Hier, ich les mal vor: Yasal uyarı: Sağlığa zararlıdır.«

»Samo, was willst du von mir?«

»Du schnallst es nicht.«

»Was gibt es denn zu schnallen?«

»Das sind türkische Zigaretten.«

»Und die sind was ganz Besonderes, für deine halbtürkischen Lungen?«

»Zwanzig Jahre alt, aus dem Schrank meiner Mutter.«

»Ach, komm!«

»Ja.«

»Das ist nicht dein Ernst!«

Samuel steckt sich eine der Zigaretten in seinen Mundwinkel, kramt in seiner Tasche, zündet sie an und raucht. Jetzt nichts sagen, vor allem nichts Witziges, ich ahne den Glanz in seinen Augen. Er atmet tief, so tief, dass es ihm wehtut, er verzieht sein Gesicht und ich bin mir sicher, er sieht sich von außen. Was für ein Bild, zwanzig Jahre hat er auf diesen Augenblick warten müssen. Sitzt auf der gammeligen Hollywoodschaukel in der Kleingartenkolonie, sitzt und fühlt sich türkischer als halbtürkisch, weil er glaubt, die Zigaretten seines Vaters zu rauchen, den er nie in seinem Leben gesehen hat.

Ich halte meine Klappe, greife kommentarlos in seine Schachtel und stecke mir auch eine an. Sitzen wir also zusammen und rauchen die Zigaretten des großen Unbekannten. Ich würde gern anfangen zu weinen, genau in diesem Moment. Ich finde ja, die meisten Menschen sehen lustig aus, wenn sie weinen. Aber Samuel würde mich gar nicht angucken, nur seinen Arm um mich legen und zu Ende rauchen. Es würde ihm eine Menge bedeuten. Ich glaube, er würde auch gern weinen, wenigstens in sich hinein. Aber der mit den Räuberhänden weint nicht.

Eine Kleingartenkolonie, wie das Wort schon sagt, nur witzig durch uns und Stambul. Alles hier steht, selbst das Wasser, ein Kanal, allerhöchstens kräuselt sich die Oberfläche. Samuel schnippst seinen Stummel elegant ins Wasser, ein kurzes Zischen, und der Moment ist vorbei. Ich habe noch die Schachtel in der Hand.

»Woher weißt du eigentlich, wie alt die sind?«

»Ja, steht drauf, ich mein: der Text hier, der ist so, äh, alt. Sprachlich.«

»Du bist ja jetzt'n echter Türkisch-Experte.«

»Halt's Maul.«

»Ich dachte auch, diese Warnhinweise gibt es erst seit ein paar Jahren. Zumindest, dass sie die so fett draufschreiben müssen.«

Er nimmt mir die Packung aus der Hand und steckt sie ein.

»Schön«, sagt er.

»Was?«, frage ich.

»Hier zu sein. Mit dir und den Kippen.« Er klopft auf die Schachtel und wippt mit dem Oberkörper, die Schaukel quietscht, er grinst. »Ja«, sagt er, »wirklich! Gut, sich gut zu fühlen.«

Vielleicht war der erste Zauber schon verflogen. Auf jeden Fall habe ich genauer hingesehen. Lina und ich Hand in Hand an den wilden Feldern hinter den Plattenbauten am Rand der Nordstadt. So weit draußen konnte ich Händchen halten. Plötzlich blieb Lina stehen, sah mir fest in die Augen und sagte: »Das hier ist mein Lieblingsort«, dann drehte sie eine halbe Pirouette und rannte wie in einem kitschigen Mädchenfilm laut lachend mit ausgebreiteten Armen durch das Feld. Sie rannte und rannte und hüpfte und flog durch das hüfthohe Gras, sie ignorierte die Disteln und Brennnesseln einfach. Lina lässt sich nicht von sich selbst ablenken. Lange Halme schlugen gegen ihre Beine. Plötzlich fiel sie einfach um und verschwand im grünbunten Gestrüpp. Ich hörte sie lachen und dann ihr Rufen, ich solle zu ihr kommen, wie schön es sei. Was macht man da? Rüberschlurfen und sagen: *Das ist ne Wiese, Puppe?* Oder besser die Zähne zusammenbeißen und das Mädchen mit sechzehn Vorwärtsrollen übertrumpfen? Wäre Lina meine Mutter und ich mein Vater, wäre ich im Handstand zu ihr rübergelaufen. Das ist eines der Geheimnisse ihrer unendlichen Liebe, dass sie sich ständig gegenseitig übertrumpfen mit verrückten Beweisen ihrer Zuneigung, ewig jugendlich und blöd, aber wirksam, offenbar. Aber das ist doch nicht echt, das fühlt doch kein Mensch, jetzt ein Purzelbaum durch die Disteln, *weil ich dich so liebe.*

Dann fetzte ich doch noch ungelenk radschlagend zu ihr rüber in die Mitte der wilden Wiese, ließ mich auf sie fallen und auf ihre Lippen.

Es ist heiß, unerträglich heiß. Ich kenne ihn nicht mehr, seit Tagen nicht. Er hat etwas Wütendes in sich. Die Leichtigkeit, die Freude, das Überraschende ist verloren gegangen, irgendwo. Er wirkt wie gezogen. Aus dem Augenwinkel sehe ich seinen Schweiß glänzen, ich höre seinen Atem, angestrengt und schnell.

Ich sage: »Samo, wollen wir nicht mal ne Pause machen? Du kannst doch auch nicht mehr.«

»Wer sagt das?«

»Ich kann nicht mehr«, sage ich.

»Dann mach doch ne Pause, ich bin nicht für Pausen hier.«

»Mann, nur mal was trinken, kurz hinsetzen, das ist doch hier keine Sportveranstaltung.« Seit über zwei Wochen hetzen wir durch Istanbul. Wir machen keinen Urlaub.

Vor uns eine Überführung, er nimmt zwei, drei Stufen in einem Satz, ich muss mich ranhalten, um ihm folgen zu können. Oben sitzt ein Mann ohne Unterschenkel auf einer

Plastiktüte. Samuel nestelt in seiner Tasche, wirft ihm eine Münze hin, verneigt sich leicht und sieht sich nicht nach mir um. Ich stehe kurz und gucke über die Bucht. Eine leichte Brise geht über meine Haut. Ich kann fühlen, wie verschwitzt ich bin, schließe kurz die Augen, genieße den kurzen frischen Hauch, atme tief. Als ich die Augen wieder öffne, ist Samuel verschwunden, hat die Überführung längst hinter sich gelassen, mit seinen riesigen neuen Schritten. Samuel, der entspannte, schlurfige Samuel, seit zwei Tagen tut er so, als könne man Istanbul nur im Laufschritt nehmen. Er hat gar kein Ziel, es hat keinen Sinn, er läuft nur, läuft, es ist Selbstzweck, es ist, um mir eine Lehre zu erteilen, um mir irgendwas zu beweisen. Vielleicht, damit ich es hier nicht genießen kann, als versteckte Strafe. Ich laufe los, über mir die krächzenden Möwen, das Gewirr der Beine, Stimmen, Menschen um mich, Schiffe tuten, Taxis hupen, ich kann ihn nicht sehen. Habe Sorge, ich könnte ihn verloren haben, da sehe ich ihn unten und schreie, dass er warten soll. Er dreht sich um, sucht mich mit einem Blick wie Nadeln. Ich bin ein Klotz an seinem schnellen Bein.

Plötzlich krümmt er sich, verzieht das Gesicht. »Scheiße«, murmelt er. »Was?«, frage ich. Aber er richtet sich schon langsam wieder auf und läuft weiter, mit seinen ambitionierten Schritten. »Alles klar?«, frage ich noch mal. Aber er antwortet nicht. Wir sind schon in Karaköy. Das könnte passen. Wir laufen und schauen. Erstaunlich viele Baracken und verkommene Häuser für so eine Promenade. Vielleicht hat man hier noch Chancen, was zu einem Preis zu bekommen, der machbar wäre. Man könnte ja nach und nach aufbauen, wachsen. Geht ja nur um Ideen, um gute Arbeit. Wir beide haben Säcke voll Ideen. Wir setzen uns auf die großen Steine, die vom Ufer ins Wasser reichen.

»Das da zum Beispiel«, sagt er, »und davor so ne Terrasse, oben noch ne Dachterrasse. In die Bäume könnte man Baumhäuser bauen, wär doch geil.«

Ich nicke. Er kaut an seinen Nägeln, merkt es nicht. Sieht sich um, immer wieder, plant irgendwas im Kopf und kaut dabei.

»Samo«, sage ich.

»Was.«

»Deine Finger.«

»Ja.«

Er lässt es bleiben. Wenigstens kurz. Und krümmt sich wieder, verzieht sein Gesicht, vor Schmerzen offenbar.

»Was denn los mit dir?«

»Nichts.«

Er faucht es, sieht mich böse an. Vielleicht das erste Funkeln seiner Augen in diesem Augenblick. Ich muss kurz an die fremden Augen in nächtlichen Straßen denken.

»Ich frag nur, was bist du denn so bissig?«

»Ja, was soll denn sein.«

»Hältst dir den Bauch und so.«

»Kümmer dich um deinen Scheiß.«

»Mach mal halblang. War nur nett gemeint.«

»Ja, danke. Ich danke dir sehr für deine einfühlsamen Unterstellungen.«

»Hast du eigentlich den Arsch offen? Was unterstell ich dir denn bitte?«

»Dass es mir nicht gut geht. Geht mir aber gut, geht mir so gut hier. So gut gings mir noch nie und jetzt nörgel hier nicht rum. Bist die ganze Zeit nur auf der Suche, um was zu finden, was es mies machen könnte.«

»Phh.«

Vor uns starten drei Möwen gleichzeitig, als hätten sie

genug von unserer Streiterei. Ein Schuhputzer bietet seine Dienste an. Ich sehe aus dem Augenwinkel, dass Samuel wieder lächeln kann. Der Mann geht weiter.

»Ach scheiße«, sagt Samuel, er meint: Entschuldigung. »Man könnte hier ja so viel machen, weißt du: Live-Musik, Kino, Sandwiches, so besondere deutsche Kost oder so. Hier direkt am Ufer, das müsste doch'n Knaller sein. Oder nicht?«

Ich nicke.

Am Morgen ja.

Wir sitzen in der Küche meiner Eltern. Man kann ihnen nichts vorwerfen. Sie meinen es gut, sie meinen alles immer gut. Und eigentlich hasse ich sie auch nicht. Wie sollte ich. Ich tue nur so. Sie sind ja großartig. Sie sind immer auf der richtigen Seite. Ich würde alles ganz genauso machen. Aber sie machen es ja schon.

Samuel kritzelt *Lachs* auf den Zettel, wir lachen uns schlapp. Ich frage mich, ob das geht und wie sie darauf reagieren: Wir schreiben ihnen eine Einkaufsliste. Für Irene und die Penner. Bisher war es immer so, dass sie einfach nichts sagen, wenn wir ihnen den halben Kühlschrank ausräumen und das Essen zu den Pennern bringen, und dass sie es inzwischen einplanen und kommentarlos mehr kaufen, als wir alleine überhaupt essen könnten. Jetzt also ein Schritt weiter: wir schreiben ihnen eine Einkaufsliste, mit Dingen, die Irene besonders mag. Leberwurst, Schokocroissants, Cocktailfrüchte, Sandwichtoast. Samuel lacht und fällt fast vom Stuhl. »Können ihren Bio-Quark für sich behalten«, sagt er und schreibt auf: Wiener Würstchen, junger Gouda, Erdbeermarmelade, American Cookies. Plötzlich fängt er an zu singen: »Nerede yaşarsan yaşa babam.«

Ich sage: »Hör mit dem scheiß Singen auf«, aber Samuel

steht auf und knödelt einfach weiter: »Sevgi aşk hepsi yalan«, mit stolz geschwellter Brust, und ich haue ihm in den Bauch. Ich nehme ihm den Stift aus der Hand und schreibe oben über die ganzen Sachen *Hilfsgüter.* Ich zeige es Samuel, er muss prusten, ich sehe mich um. Die Küche meiner Eltern ist herzzerreißend schön, helles Holz und weiße Dielen, frische Kräuter auf der Fensterbank, blaue Bilder an den Wänden. Mir wird eng, ganz plötzlich. Ich stehe auf und werde feierlich. Ich halte Samuel die Hand hin. Wenn er so singt, kann ich auch Schwüre verlangen:

»So nicht«, sage ich, »versprich mir das: so nicht.«

Samuel guckt mich krumm an.

»Was?«

»Will man das? Dieses kuschelige Glück«, frage ich.

»Was hast du für'n Problem?«

»Ist es das: glücklich sein und zufrieden, wissen, dass man alles aufs Beste erledigt hat? Diese Sorglosigkeit, dieses glatte Glück?«

»Kannst mal die Klappe halten, du Spinner, und mich singen lassen. Hör mal lieber zu, ich kann ein neues.«

»Im Ernst: haben alle Kontinente gesehen und machen keinen Cluburlaub, ja, arbeiten mit jungen Menschen, gehen ins Theater, ins Kino, auf Konzerte, sie engagieren sich – und wie sie sich engagieren! Aber das ist doch armselig. Ich meine: ja, es passiert was, sie bewegen sich, aber sie erleben immer nur das Gute, das kann es doch nicht sein.«

Samuel steht und guckt mich etwas mitleidig an, die Stirn in Falten, die Augenbrauen zum Haaransatz gezogen.

»Ja, du hast'n schweres Leben. Ganz wundgestreichelt.«

Heute Morgen war ich vor Samuel wach und habe mich gleich hinausgeschlichen in den Waschraum, draußen auf dem Flur des Hostels. Als ich zurückkomme, sitzt Samuel nur in Unterhose auf dem Bett und starrt mich böse an.

»Was ist los?« Er antwortet nicht. Seine Nase ist hart und bewegungslos, sein Mund hat die Form eines kleinen Kreises. Er sitzt leicht schräg da, regungslos, und stiert.

»Bist du wach?«, frage ich.

»Nein«, sagt er und steht auf, geht auf mich zu, dass ich zurückweiche und rauscht an mir vorbei und durch die Tür. Ich stehe und spüre ihm nach, der seltsamen Kraft, die er hatte.

Später, als wir wieder laufen wie alle Tage und er wieder vor mir ist, einige Schritte inzwischen, denke ich: Vielleicht ist es seine Enttäuschung, fremd zu sein, nicht in offene Arme zu laufen. Seine Lust zu sprechen, Türke zu sein und dann doch immer wieder als Deutscher erkannt zu werden. Was hat er sich auch erhofft? Dass sie ihn aufnehmen, wie einen verlorenen Sohn, mit seinen paar wenigen Brocken Türkisch und den dunklen Locken? Es verletzt ihn, denke ich, bemüht er sich doch nach Kräften, türkischer als alle Türken zu sein, kopiert, was er als ihren Stil ausmachen zu können glaubt, ihre Art zu gucken, zu tanzen, beisammen zu sitzen und Sonnenblumenkerne zu essen, Tee zu trinken, auf der Straße zu sein, zu laufen, zu reden. Es ist sein größtes Glück, von einem Türken für einen Türken gehalten zu werden. Und jetzt sucht er die Distanz zu mir, denke ich, diese Schritte, die uns trennen, wenn wir doch eigentlich gemeinsam unterwegs sind, sie sind seine Absicht, um nicht als Deutscher entlarvt zu werden. Er ist mein Führer und ich bin sein verräterisches Anhängsel, er würde sich am liebsten in alle fremden Geschichten schmeißen, in den Trubel der Stadt, möchte sich selbst vergessen und neu aufgehen. Ich aber bin ängstlich, passe auf, achte auf meine Taschen, spüre mein Misstrauen, meinen Respekt. Er überquert eine stark befahrene Straße, huscht geschickt und wie die anderen, wie die Türken es tun, durch die Lücken. Ich komme nicht hinterher, traue mich nicht. Er ist schon längst auf der anderen Seite und vor mir zischen die Autos. Samuel, auf der anderen Seite, läuft einfach weiter, sieht sich nicht einmal nach mir um und so rufe ich seinen Namen, schreie nach ihm und er bleibt stehen, ich sehe, wie er vollkommen entnervt den Kopf in den Nacken legt und sich langsam umdreht, langsam und theatralisch die Arme ausbreitet und mit einem aus der Entfernung nurmehr sichtbaren Schnaufen wartet. Mit aller Vorsicht schlüpfe ich durch den Verkehr und als ich endlich auf der anderen Seite ankomme, dreht Samuel sich kommentarlos um und läuft los.

»Warte mal!«, sage ich.

Er dreht sich wieder um und funkelt mich böse an.

»Was denn jetzt schon wieder?«

»Was ist denn los, haben wir nen Termin, von dem ich nichts weiß?«

»Mann!«

»Ja, was denn? Wir hetzen hier durch die Straßen und ich weiß überhaupt nicht warum, können uns doch auch mal hinsetzen und entspannen …«

»Du und dein scheiß Entspannen, ich bin nicht hier, um ständig zu entspannen.«

»Ich hab Hunger, Samo.«

»Ja, da vorn ist Basar, wir kaufen jetzt was. Ich kaufe was.«

Ich nicke. Sein Blick ist mir so fremd, seine ganze Art, wie entfernt. Er glänzt im ganzen Gesicht, er ist blässlich.

»Ist alles in Ordnung mit dir?«, frage ich.

»Ja, Mann, können wir jetzt?«

Die Hitze auf dem Basar, die Stimmen, Oliven, Käse, Ramsch und Fisch, ich weiß nicht, warum Samuel so tut. Tücher, Radios und Gebäck, Zucker, Rettiche, Knoblauch und

Getümmel, es ist eng und unangenehm. Tee und Gewürze, wir treiben in diesem Brei, aber irgendwann wirft Samuel die Hände in die Luft, er bewegt sich wie von selbst und dreht sich zu mir um, er lacht: »Wie geil! Wie geil! Wie geil!« Es ist das erste Mal an diesem Tag, dass ich ihn lachen sehe und lächle zurück, schwimme mit ihm, weiß nicht, wohin, denke an unser Hostel, das Bett, an ein wenig Ruhe, Raum und Zeit. Ich spüre die Müdigkeit in meinen Knien. Samuel kauft Obst, sein Blick geht an mir vorbei, als er mir Granatäpfel und Bananen in die Hände drückt. Irgendwas stimmt nicht mit seinen Augen, dieser Glanz verrät nicht, was, nur, dass etwas nicht stimmt, sie sehen falsch aus. Er lacht mir kurz zu und feilscht mit einem alten Mann, kauft Oliven, kauft Gözleme, kauft Ayran. Er ist hier und ich stehe daneben und denke: Ich möchte nicht zurückgelassen werden.

»Lina ist eigentlich echt heiß«, ruft Samuel übertrieben laut und biegt rechts ein. Er bräuchte nicht zu brüllen, ich höre ihn auch so. Kaum Verkehr, außerdem fahren wir nebeneinander. Ich zucke mit den Schultern. Er will mich nur provozieren.

»Jaja, super«, sage ich, »Lina ist … ich kenn auch keine, die ich besser finde. Aber weißt du was, sie ist nicht so cool, wie sie tut.«

»So cool wie du oder was?«

»Nein, ohne Scheiß. Stört mich wirklich. Ich meine, sie ist hübsch, manchmal ist sie sogar richtig witzig, aber sie ist so …«

»… so zwei Nummern zu geil für dich.« Er lacht.

»Mann, ich kann's nicht sagen, aber irgendwie … Das passt nicht zusammen. Ich meine: Ich finds ja witzig, wenn sie so durchgeknallt tut, aber sie tut eben nur so, verstehst du?«

»Kein Wort, du Spinner.«

»Egal.«

»Was egal?«

»Lina, irgendwie.«

Wir fahren. Die zu platten Reifen schnurren auf dem sommerwarmen Asphalt. Sonst Ruhe.

Als ich am nächsten Tag nach der Schule nach Hause komme, stehen in der Küche vor der Speisekammer zwei große Plastiktüten, vollbepackt. Ich sehe hinein und fasse es nicht: Sie sind bis oben hin voll mit den Dingen, die wir auf die Einkaufsliste geschrieben hatten. Hilfsgüter, kommentarlos. Das Leben ist so leicht und kaum der Rede wert in diesem Haus.

Früher habe ich mich nach der Schule manchmal an die Kreuzung gestellt und den Autos zugesehen. Dann habe ich überlegt, welches Auto es sein sollte, wenn ich mich dafür entschließe, mich anfahren zu lassen. Ich habe darüber nachgedacht, wie man es am besten anstellt, in ein Auto zu laufen. Ich müsste überleben, das auf jeden Fall. Mit ein paar Knochenbrüchen wäre es aber auch nicht getan. Schleudertrauma, vielleicht Querschnittslähmung, ein zerschmetterter Schädel, fehlende Gliedmaßen. Eine wirkliche Behinderung, eine Beschädigung, am besten irreparabel, zum Beweis, dass sie nicht jedes Problem lösen können. Rollstuhl, Krücken, Prothese, nur, um zu sehen, wie sie damit klar kämen. Ob man sie verunsichern kann, erschüttern. Ich wollte wissen, ob ich das schaffen könnte. Ob ich die Kraft hätte.

[Das Foto ist überbelichtet, wenigstens ist es sehr hell. Einige weiße Stellen brennen aus. Ihre Arme und Beine, die unter dem gestreiften Sommerkleid hervorgucken zum Beispiel, sind eine einheitliche weiße Fläche ohne jede Zeichnung.]

Ich fand es immer angenehm, um wie wenig es ging, wenn ich mit Bubu unterwegs war. Wir hatten nichts zu tun und ich kam mir auf eine extreme Art egal vor. Wir konnten stundenlang nebeneinander sitzen, Bier saufen, bis ich vollkommen zu war, und nichts sagen, nur in die Gegend glotzen und die Zeit abwarten, wie Hunde in der Sonne.

Wir sahen uns nie im Winter, aber manchmal verlängerte sich ein Sommer in den Herbst und ich war einige Male bei Bubu zu Hause. Dann stand ich mit einer Plastiktüte voll Dosenbier vor seiner Tür und klingelte. Er machte auf, sah mich meistens gar nicht an, nahm mir nur die Tüte ab, ließ die Tür offen stehen und verschwand wieder in der Wohnung. Ich ging hinein, setzte mich hin und war da. In Bubus und Moppels Loch. Wir soffen, und im Laufe des Nachmittags kamen immer wieder auch andere Assis vorbei und alle tranken sie mein Bier, klopften vor mir auf den Tisch oder auf meine Schulter, sagten *Prost* und *Koppinnacken* und *Wohl bekomm's*. Manchmal sammelten sich genügend Idioten und einer stellte das Radio an, es dudelten Schlager und diese versoffenen Typen lagen sich in den Armen, schwankten, tanzten und ich hockte auf der Fensterbank und sah ihnen zu, teilnahmslos und versuchte, so besoffen zu werden wie sie. Wenn ich es war, schlief ich einfach ein und verpennte die Schule. Ich erinnere mich an zwei oder drei Morgen, an denen ich von wildem Sturmklingeln aufwachte und mit schwerem Kater zur Tür lief. Da stand dann Samuel, der mich in der ersten großen Pause holen kam. Er lud mich kommentarlos auf seinen Gepäckträger und fuhr mich zur Schule. Unterwegs kaufte er mir Kaugummis und stieß mich unsanft über den Schulflur, weil wir dann immer etwas zu spät zur dritten Stunde kamen. Ich saß verkatert und noch halb besoffen im Unterricht und fühlte mich erwachsen und den Mitschülern überlegen mit meinen Kopfschmerzen, meinen stinkenden Klamotten, meiner Fahne. Ich lachte über alle, die Lehrer, die Mitschüler, die ganze Schule.

Noch so eine Sache, für die meine Eltern Samuel lieben, obwohl es nichts als eine Macke ist: dass er immer alle Reste aufessen muss. Ich hasse ihre Blicke, die leicht zur Seite geneigten Köpfe. Wie sie die Lippen aufeinander pressen, ein ganz klein wenig nur, so dass man es kaum sieht, nur sieht, wenn man sie kennt, den feuchten Glanz in ihren Augen, weil er ihnen eben doch leid tut, mit dieser verkorksten Kindheit.

Ihr liebevolles Lächeln, wenn Samuel sich Kaffee einschenkt und sofort nachschenkt nach dem ersten Schluck und bis zum Rand auffüllt mit Milch und wieder trinkt und Zucker dazu schüttet und noch mehr Zucker und ihn in den Kaffee rührt und abtrinkt, um noch mehr Platz zu machen für noch mehr Zucker und irgendwann seine Zuschauer bemerkt und hochsieht und die Schulter zuckt und sagt: »Kaffeemahlzeit«, und lacht.

Dann hasse ich sie und ihre Selbstgerechtigkeit. Hasse es, dass man ihnen ansehen kann, wie gut sie sich fühlen, so gut und großherzig zu sein, so gönnerisch und gerecht. Ihr wohlmeinender Rat, ihre frisch gepressten Säfte, ihr kleiner gut gepflegter Garten. Wenn ich ein Hund wär, ich würd an ihren Zaun pissen.

Ich hockte mit meinem Vater im Garten, der Sommer war schon vorbei, wir hatten das kleine Gemüsebeet umgegraben und holten mit den Händen Stöcke und Wurzeln aus der Erde. Da traute ich mich plötzlich, ihn zu fragen, ob ihm seine Quallenhand peinlich ist oder unangenehm.

Seit dem Streit von damals nennen wir sie alle so: Quallenhand, offen und als Witz gemeint: *Rückkehr der Quallenhand,* wenn er von draußen reinkommt, *eiskaltes Quallenhändchen* im Winter, *quallenhandlich* für *praktisch.* Es ist toll, weil es jede Spannung sofort in Lächeln auflöst. Meine Mutter ist genervt und müde und muffelt rum, mein Vater nimmt sie in den Arm und macht ein Witzchen über seine Hand und man lächelt und alles ist nett; *eine quallenhandfeste Frau.*

Komisch, dass solche Familienspiele auch nach Jahren, wenn sie längst blöd und totgelacht sind, nicht enden, dass sie sich einschleifen und zu peinlichen Ritualen verkommen, die man vor seinen Freunden am liebsten verstecken möchte. Am Anfang habe ich das Spiel noch mitgemacht und immer neue Quallenhand-Worte gesucht und nach Hause an unseren Tisch geschafft. Es war einigermaßen witzig und meine Eltern kamen mir irgendwie lässig vor, deshalb mochte ich das Spiel wahrscheinlich.

Mein Vater klopfte Erde von seiner Hand und überlegte ein bisschen. Dann schüttelte er den Kopf und meinte: »Peinlich nicht, aber komisch. Ich find die ja auch hässlich«, so als müsste er sich eben doch entschuldigen. »Unangenehm«, und er sah mich an. »Weil man mit den Händen die Welt begreift, weißt du«, und er ließ sich auf den Hintern fallen, saß und glotzte mich an, froh, dass er seinen poetischen kleinen Satz endlich hatte sagen dürfen. Sicher hatte er sich die Frage im Kopf schon hundertmal gestellt und beantwortet.

Hinter den Buden ging die Sonne unter. Wie gemalt für diesen Abend, meinen Geburtstag. Samuel war zwar verschwunden, aber das war egal, wir würden uns schon wieder finden. Ich stolperte ein bisschen durch die Gegend, grinsend und zufrieden. Irene lief mir nur ein paar Minuten später in die Arme. Ein paar Buden weiter, ich war noch gar nicht angekommen, wo ich hinwollte. Gerade hatte ich mir ein neues Bier gekauft und war auf dem Weg zu einer anderen Bühne. Ich kämpfte mich, das Bier verteidigend, durch einen Pulk tanzender Menschen. Und plötzlich hatte ich Irene im Arm. Sie drückte ihren aufgeheizten, viel zu dünn angezogenen Körper an mich und legte ihren Kopf auf meine Schulter und hauchte mir mit ihrem Bieratem ins Ohr: »Mein schöner Junge«. Sie trank von meinem Bier, nahm meine Hand, legte sie auf ihre magere Hüfte und presste ihren Unterleib gegen meinen Oberschenkel. Ich war mir nicht sicher, ob sie mich vielleicht verwechselte. Ich stand ziemlich steif und hielt sie fest im Arm, aber ein wenig auf Abstand. Ich verstand nicht, was gerade passierte. Sie rieb sich an mir und ihre sonst so zittrig eckigen Bewegungen wirkten ungewohnt rund. Die Musik war laut und schlecht und die Leute um uns herum grölten mit und Irene sang in mein Ohr. Und plötzlich sah ich mich selbst tanzen. Wie ich da stand auf dem Straßenfest vor einer dieser Buden und mit der Pennermutter meines besten Freundes tanzte, die ihr Becken gegen mich drückte und mich anlächelte und ihre Lippen an meinen Hals drückte und Schlager in mein Ohr lallte. Ich habe es nicht gedacht – ich habe gar nicht richtig gedacht in diesem Moment – aber es hat sich ein Gefühl in mir breit gemacht, das mir sagte: warum nicht? Es war noch nicht ganz dunkel, aber dunkel genug, um zu tanzen. Es war eng und voll und in den Pausen jubelten die ganzen Idioten dieser miesen Coverband zu, die es sich nicht verkneifen konnte, mit dämlichen Witzen zu den nächsten Songs überzuleiten. Wir tanzten und ich fand nichts mehr dabei. Wenn Samuel kommen sollte, worüber sollte er sich beschweren, wir hatten uns eben getroffen und nun tanzten wir. Ja, ihre Lippen an meinem Hals. Ja, ihr warmer Unterleib an meinem Oberschenkel. Ja, ihre Hände an meiner Hüfte. Plötzlich fühlte ich Irenes Hand in meiner Unterhose. Sie sah mich kurz an, lächelte, so dass ich ihren fehlenden Zahn sehen konnte und ließ die Zunge über ihre Oberlippe gleiten.

Sie hat mich mit sich genommen. Hinter einen der Toilettenwagen. Hat sich sofort hingekniet und meine Hose geöffnet, sie runter gezogen und meinen Schwanz kurz mit der Hand gerieben. Dann hat sie angefangen, ihn mir zu lutschen. Dabei hat sie mich angesehen und ich sie. Und ich wollte sie anlächeln und hab mich nicht getraut. Also habe ich versucht, so leidenschaftlich wie möglich zu gucken. Wir haben nicht geredet, aber später haben wir uns doch noch angelächelt, kurz. Irgendwann hat sie sich auf ein paar Holzpaletten gelegt und mich an sich gezogen und ihre Beine weit für mich gespreizt. Ich hab mich gut gefühlt, solange ich in ihr war.

Wenig später stand Samuel dann neben uns.

Er hat schon wieder eins von seinen Hüftfotos geschossen, im Vorbeigehen einen Typen am Straßenrand fotografiert, ohne dass der es mitbekommen hat. Was auffällt: es ist immer der gleiche Typ Mann, den Samuel da fotografiert. Um die fünfzig, etwas verkommen, ramponiert, vom Leben mitgenommen, mit eingefallenem Mund, vielleicht zahnlos. Was ich vermute: Er macht die Fotos, um Irene Bilder zu zeigen, von Männern, die sein Vater sein könnten. Vielleicht die Hoffnung, sie könnte ihn wieder erkennen.

Wir sind auf dem Weg zu der kleinen Bucht, die wir gestern im Abenddunkel gefunden haben, etwas weiter draußen, Richtung Fener. Ausgerüstet mit Decken, Alufolie, Wein, Fleisch und Brot. Eine etwas verborgene Stelle, nicht sofort sichtbar. Wir werden diesen Ort zu unserem Ort machen. Neu-Stambul, sozusagen. Ich habe einen Schal gekauft für zwei Lira und halte Ausschau nach einem Ast.

Die kleinen Flammen züngeln um die Alufolie, Samuel drückt den Korken in die Flasche, ich knote das eine Ende des Schals am Ast fest und ramme ihn in den Boden. Samuel hält die Flasche feierlich in die Luft, wir stehen, mit geschwellter Brust wie für ein Mannschaftsfoto und vergießen etwas Wein. »Auf uns und Neu-Stambul«, sagt Samuel. »Şerefe«, sage ich und er setzt an und trinkt. Er reicht mir die Flasche, wir setzen uns und ziehen das heiße Essen aus der Glut.

»Machst du dir eigentlich Sorgen?«, frage ich, es ist mir eher rausgerutscht, was hat das hier und jetzt zu suchen. Vielleicht, weil ich an zu Hause denken muss, an unser Stambul und Irene.

»Was?«

»Ich meine, wegen deiner Mutter.«

»Ich finde, meine Mutter geht dich im Moment ziemlich wenig an.«

Ich nicke, aber ich finde nicht, dass es stimmt. Samuel schiebt seinen heißen Teller aus Alufolie von sich, zieht an seinen Hosenbeinen, zieht sie nach unten, setzt sich neu auf. Eine seiner Lieblingsbewegungen, wenn es ihm darum geht, sich zu behaupten, etwas klarzustellen. Ein Unterarm baumelt vom angewinkelten Knie zwischen seine Beine, die Fingerkuppen nur knapp über dem Essen. Stille. Dann:

»Ja. Manchmal.«

Ich sehe ihn an, er mich nicht.

»Ich …« , und ich komme nicht weiter mit meinem Satz.

»Was?«

»Ja. Ich ... auch.«

»Brauchst du nicht. Das geht dich nichts an.«

»Selbst wenn. Das Gefühl ist ja trotzdem da.«

»Soll ich dir mal was sagen? Ich scheiß auf irgendwelche Gefühle von dir«, jetzt sieht er mich an. Er drückt den Unterkiefer vor. Sein Mund kann schmal sein, wie mit dem Lineal gezogen. »Komm mir nicht mit irgendwelchen scheiß Gefühlen für meine Ma, ist das klar.«

Ich sehe weg. Kein Durchkommen. Mein Zeigefinger malt kleine Wege in den feinen Staub zwischen meinen Beinen. Ich fühle seine Augen auf mir, höre ihn atmen, dann lässt er ab.

»Weißt du, Samo, es ist so: ...«

»Nenn mich nicht Samo, du Spacken.«

»Jetzt lass mich mal ausreden, verdammt.« Er schnaubt. Ich nehme Luft und Anlauf: »Ich hab Scheiße gebaut.«

»Richtige Scheiße.«

»Ja, danke: richtige Scheiße. Aber ich finde, es geht jetzt darum, wie wir damit umgehen. Du kannst mich jetzt aus allem ausschließen und du kannst mich beleidigen und du kannst, Mann, ja, du kannst allen möglichen Scheiß machen, aber wohin führt das dann, was haben wir davon? Hast du darüber schon mal nachgedacht? Es geht doch irgendwie eben genau darum, ob wir uns davon jetzt bestimmen lassen wollen oder ob wir das ... besiegen.«

Er lacht. Er lacht mich aus.

»Du bist so ein Besieger! So ein richtiger kleiner Ritter, mit Lanze und allem.«

»Fick dich, echt.«

Und es ist still, man hört nur Autos, weit entfernte Autos und ihr Rauschen.

»Ich mach hier Angebote, du Arschloch.«

»Ja, ist auch dein Job. Und mein Job ist es, dich für alberne Angebote auszulachen.«

»Gut, dass du so gut Bescheid weißt.«

»Gut, dass du gar nichts weißt.«

»Dann red doch mal mit mir, damit ich vielleicht besser Bescheid weiß.«

»Was soll ich denn erzählen. Ist doch alles klar, nur dass du es nicht schnallst.«

»Mir ist gar nichts klar. Ich dachte, es wäre alles geklärt, es wär alles gegessen, aber das ist es nicht, ich kann nicht sagen, was ich sagen will, ich kann nicht fragen, was ich fragen will, du bist voll empfindlich.«

»Ich bin empfindlich, ja?«

»Ja.«

»Wenn das so ist.«

Vor uns zieht eine Fähre vorbei. Der Motor verschluckt sich oder die Schraube, es gluckst merkwürdig, man hört vereinzelte Stimmen von den Leuten an Bord.

»Scheiße, tut mir Leid.« Ich lege meine Hand auf seine Schulter, zur Versöhnung. Er dreht sich weg, außer Reichweite.

»Ich … ich dachte, wir wären uns einig, dass das Ganze irgendwie einfach scheiße gelaufen ist. Dass uns das nicht stören darf.«

»Ja.«

»Ja, also.«

»Ja, aber es stört. Stört mich jeden Tag. Jeden verdammten Tag stört es mich, wenn ich mir vorstelle, dass du mit meiner Mutter gefickt hast. Und ich will einfach nicht dran denken, weil es scheiß Gedanken sind, weil sie mich ankotzen und ich einfach dein scheiß Gerede dazu nicht auch noch hören will.

Ich will einfach nicht. Geht das klar?«

»Das ist nicht richtig, Samo.«

»Das interessiert mich nicht.«

»Mich aber, weil das mit uns zu tun hat.«

»Du bist so ein verkackter Klugscheißer, und gleichzeitig weißt du einfach gar nichts. Du weißt nichts, nichts, nichts. Du kannst dir das gar nicht vorstellen: Wenn ich deine Mutter gefickt hätte und jetzt solche Scheiße reden würde.«

Noch ein Versuch. »Was ich nur gedacht habe … und eigentlich wollte ich dir nur Mut machen …«

»Du bist ja so gut zu mir.«

»Vielleicht tut es ihr ja auch gut. Weißt du, du bist immer für sie da. Aber vielleicht muss sie auch mal merken, wie am Arsch sie ohne dich ist, ohne den, der immer alles regelt, der ihr ganzes Leben organisiert, ohne dass sie sich um was kümmern muss. Der ihr Essen und Wohnung organisiert, der drauf achtet, dass sie nicht ganz abstürzt. Vielleicht tut ihr das gut, wenn sie mal merkt, dass sie am Ende ist, wenn sie ihr Leben alleine lebt.«

»Ey, du machst mich fertig mit deinem Gelaber.«

Samuel steht auf und geht. Er geht einfach. Er lässt mich sitzen auf der Decke. Mit dem Essen, dem Trinken, dem ganzen Kram und geht und sagt kein Wort und guckt sich nicht um. Ich rufe ihn, aber es interessiert ihn nicht, er geht einfach und ich sitze und warte. Ich warte, dass er wiederkommt. Dann fasse ich in meine Tasche. Immerhin habe ich den Schlüssel für das Zimmer.

[Man kann ihre Füße nicht sehen, bestimmt läuft sie barfuß. Sie trägt ein Paar Ledersandalen in der linken Hand. In ihrem langen braunen Haar steckt eine riesige Sonnenbrille. Und Schmuck, an ihrem Ohr ein großer silberner Ring.]

Auf dem Weg in unser Hostel sehe ich Müllmänner, man sieht sie nur nachts. Handschuhe, Mütze, Arbeitshosen und große Beutel, von denen ich nicht glauben kann, dass sie sie allen Ernstes tragen. Sie ziehen durch die Straßen, bücken sich hier und da über den hingekippten Müll und scheinen ihn zu sortieren. Ich kann mir nicht vorstellen, dass dies das Müllsystem einer so riesigen Stadt sein soll, dass das funktionieren kann. Man sieht kaum Mülltonnen, nur manchmal Plätze, die wie Miniaturmüllkippen aussehen. Darin leben die Katzen. Darüber kreisen die Vögel, wie Fahnen in den Wind gehängt. Ein alter Mann fischt Pappe und Holzreste von Gemüsekisten aus dem stinkenden, lebenden Berg. Fünfzehn Meter weiter heizt er damit seinen kleinen Rollwagen, an dem er Kestane Kebap verkauft, Maronen.

Samuel kommt spät. Er wäscht sich, legt sich wortlos in sein Bett.

»Weißt du was ich finde?«, frage ich nach einer Weile.

»Mh?«

»Ich finde, es ist nicht so einfach, wie du tust.«

»Was? Wovon redest du?«, fragt er.

»Deine Wut, das alles.«

»Fängst du schon wieder an?«

»Ja, ich finde, ganz ehrlich, ich finde, das Ganze darf keine Rolle spielen. So was darf nicht wichtig sein.«

»Schön, dass du das findest, du Arschloch, du hast ja auch gefickt und nicht ich.«

»Weißt du was: Du wohnst bei uns, du hast einen Schlüssel für unser Haus, du hast ein Bett und nen Schrank in meinem Zimmer und du kriegst alles bei uns mit und alle lieben dich noch dafür.«

»Alter, jetzt komm mir nicht so.«

»Doch, genau so komme ich dir jetzt. Und jetzt hörst du mal zu: Seit wir uns kennen, verstecke ich nichts vor dir, gar nichts. Du darfst alles von mir wissen, du siehst alles: wie ich mich mit meinen Eltern streite, wie ich mich mit ihnen vertrage, wie die beiden sich küssen, wie lange sie am Wochenende schlafen, wie meine Mutter geschminkt aussieht und wie ungeschminkt. Du hörst sie streiten und lachen und du hörst sie ficken, ja, du hörst meine Eltern stöhnen und wir lachen noch zusammen darüber. Du weißt, dass meine Mutter mit sich selbst redet, wenn sie kocht und, dass mein Vater blöd tanzt, wenn er allein im Garten ist. Das alles scheißnochmal weißt du und das ist auch überhaupt kein Problem, natürlich! Aber deine Mutter, deine heilige Pennermutter, die versteckst du. Von der soll ich nichts wissen, die willst du mir verheimlichen, die willst du aussparen und wegschließen, am liebsten. Die willst du nur für dich, da lässt du mich nicht ran.«

»Hast sie doch rangenommen.«

»Du hast mich genau verstanden, du benimmst dich wie ein Idiot.«

»Und du dich wie dein Vater.«

»Soll ich mich dafür schämen, dass ich Recht habe? Du passt auf und du kontrollierst, wie viel ich erfahre und mitbekomme.«

»Vielleicht. Vielleicht auch nicht. Glaubst du eigentlich echt, dass sie ne wilde, aufregende Frau ist, wenn ich mit ihr allein bin, oder was?«

»Nein, ich mein ja bloß …«

»Du meinst immer bloß. Schon mal auf die Idee gekommen, dass da gar nicht so viel zu verstecken ist?«

»Trotzdem ist es unfair. Du wohnst bei uns, aber ich darf nichts wissen von deiner Mutter.«

»Hast doch jetzt alles gesehen, was beschwerst du dich.«

Im Amerikanischen wird diese Rolle *Hero* genannt, steht in dem Buch, das ich bei meinen Eltern gefunden habe. Testreihe. Vorsichtige Annäherung. Wir sind gut vorbereitet, alles ist besprochen, wir waren am Wochenende sogar extra auf dem Flohmarkt. Wir haben tatsächlich einen Gameboy bekommen. Zwei Spiele dazu: Tetris, Super Mario Land. Das ganze Haus duftet nach der Vollkorn-Gemüse-Lasagne, die meine Mutter wie keine zweite macht. Ich setze mich also an den Tisch, drehe den Gameboy-Midisound voll auf, spiele Tetris. Samuel deckt den Tisch, eilt zwischen Esszimmer und Küche hin und her. Ich muss mich konzentrieren. Meine Mutter hebt frisches Obst unter den ungesüßten Quark. Samuel lächelt sie an und verteilt Kerzen auf dem Tisch. Ich kommentiere zwischendurch meinen Spielverlauf. Sie bringt den Quark und guckt mich böse an.

»Kannst du vielleicht auch mal was machen?«

Ich ignoriere sie. Solange ich in diesem Haus wohne, habe ich Pflichten und Aufgaben und es ist nicht gern gesehen, wenn ich mich von den anderen bedienen lasse.

»Janik, hallo, hörst du mir wenigstens zu?«

»Ja. Oh, Scheiße, jetzt hab ich's hier verbaut.«

»Kannst du bitte die Konsole ausmachen, wenn du hier am Tisch sitzt.«

»Ist'n Gameboy.«

»Kannst du bitte den Gameboy ausmachen.«

»Kannst du mich bitte spielen lassen. Ist auch total wichtig für Kinder, dass sie genug spielen.«

Hinleitung zum Thema. Der *Hero* oder *Macher*, wie man die Rolle in Deutschland nennt, steht in ihrem Buch. Der Macher übernimmt Pflichten und Arbeiten der Erwachsenen und wird häufig als Ersatzpartner missbraucht. Der Macher ist ein Kind, das zu früh erwachsen ist. Viele Macher-Kinder sagen später, ihnen habe die Zeit zum Spielen gefehlt, wie andere Kinder sie hatten.

Mutter schnauft nur und ruft meinen Vater. Als er kommt, setzen sich alle an den Tisch. Meine Mutter tut auf und sagt: »Janik, würdest du die Freundlichkeit besitzen, bitte dein Gamejoy auszumachen.«

»Ist'n Gameboy.«

»Janik!«

»Ich bin grad Level neun. So weit war ich noch nie. Ihr könnt doch schon anfangen.«

»Wir möchten jetzt essen.«

»Ja, macht doch.«

»Janik, bitte mach deine Konsole aus. Ich empfinde das als missachtend uns allen gegenüber.«

Wie sie reden können: Das Problem benennen, offen reden, eine klare, sachliche Ansage. Sie können über Gefühle reden, sie können Konflikte lösen, sie bewegen sich auf Augenhöhe, sie sind nicht an Oberflächlichkeiten interessiert. Sie sind toll. Konsole. Ich muss grinsen.

»Mann, wenn Samuel jetzt spielen würde, dann würdet ihr nichts sagen.«

»Stimmt nicht, das gilt für alle.«

Ich gebe Samuel den Gameboy und sehe meinen Eltern auffordernd ins Gesicht. Samuel nimmt den Gameboy, macht ihn aus und legt ihn auf den Tisch. Alles wie besprochen.

»Toller Freund. Jetzt spiel halt!«

»Weiß gar nicht, wie das geht.«

»Mann, Tetris.«

»Ja, kenn ich nicht.«

»Wie, kennst du nicht?«

Meine Eltern lächeln sich zu, ich sehe es im Augenwinkel. Es läuft.

»Ja, kenn ich nicht. Hab ich nie gespielt.«

»Du kennst ja gar nichts. Hast du nie gespielt, oder was?«

»Klar, manchmal.«

»Und was hast du gespielt? Schnapsflaschendrehen, oder was?« Ich lache laut, als einziger, natürlich. Einer der Momente, in denen meine Eltern Samuel vor mir schützen möchten. Ich sehe ihnen an, wie sie sich gerade zurückhalten müssen, um mir nicht zu erzählen, wie ich mit meinem besten Freund umzugehen habe.

»Weiß ich gar nicht mehr so genau.«

Pause. Er tut, als überlege er.

»Ja, doch. Ich hab gern gebügelt früher. Das hab ich immer gemacht.« Er guckt mit seinem begeisterten Blick über den Tisch und in alle Gesichter: »Wirklich, Bügeln hat mir totalen Spaß gemacht. Ich hab alles gebügelt«, er streicht mit der Hand über die Tischdecke, »Tischdecken, die ganzen Klamotten, alle: Hosen, Unterhosen, Socken, auch Handtücher. Ich hab dann so auf Geschwindigkeit gebügelt. So Zackzack, wie viele T-Shirts ich in zwanzig Minuten geschafft hab. Also, ich hab dann auch immer gewaschen natürlich, gehört dann ja dazu und auch das Stapeln und einsortieren. Ja, ich glaub, das war mein Lieblingsspiel, bevor ich in die Schule gekommen bin.«

Die Unterlippe meiner Mutter zuckt. Das passiert nicht oft. Sie will etwas sagen, kann es nicht. Dann sagt die belegte, vorsichtig warme Stimme meines Vaters: »Das ist ja kein richtiges Spiel, eigentlich, oder was denkst du, Samuel?«

Der Macher ist mit den Problemen der Erwachsenenwelt zu sehr beschäftigt, als dass er seine Möglichkeiten je spielerisch hätte ausprobieren können, steht im Buch. Er ist schon immer zu belastet und beschäftigt gewesen, als dass er so jung hätte sein können, wie er es war. Ein Kind, das belastbar ist und gut funktioniert, bekommt Anerkennung. Die Chance, sich wichtig und wertvoll fühlen zu können.

»Ja, natürlich, aber das war ja auch ein gutes Spiel, weil – dann hatten wir eben immer frische Sachen und ordentliche.«

»Das verstehe ich«, sagt meine Mutter, »aber das war dann ja eigentlich nicht so wirklich deine Aufgabe, als so kleiner Junge.«

»Na, ich habs ja gern gemacht.«

Mein Vater: »Meinst du nicht, dass du dir den Gefallen daran vielleicht auch ein bisschen hingebogen hast?«

»Echt, Tetris ist auf jeden Fall besser als Bügeln.« Mein qualifizierter Beitrag bringt wieder niemanden zum Lachen. »Aber das meine ich: Bei Samuel, da würdet ihr euch noch freuen, wenn der am Tisch sitzt und Gameboy daddelt, weil er dann mal endlich Kind wär und bei mir macht ihr so ein Geschiss. Komm spiel mal, Problemkind.«

»Naja, ich finde auch, das ist irgendwie Zeitverschwendung, so spielen und dann hat man ja gar nichts davon, da kann man sich doch eigentlich auch einfach ne sinnvolle Tätigkeit suchen und sich dann so ein Spiel oder einen Wettbewerb hineindenken.« Er guckt in die Runde, kurze dramatische Pause: »Da hat man dann hinterher immer mehr davon, fühlt sich einfach besser an, dann.«

Treffer. Er hat sie. Sie sind gerührt.

»Aber es geht ja nicht nur darum, dass man irgendwas geschafft hat«, sagt meine Mutter. Ich glaube, einen leicht zittrigen Unterton in ihrer Stimme erkennen zu können. »Wenn man sich einfach mal was Gutes tut, dann hat man doch auch was geschafft.« Sie guckt ihn an, als würde sie am liebsten seine Hand nehmen und ihn mit ihrem Mitleid entschädigen. Für sein bisheriges Leben. Für sein Leben ohne sie.

»Echt«, sage ich, »gibst du mir noch mal den Gameboy?« Sie hat keine Zeit für mich und sieht zu Samuel, wartet auf eine Antwort.

»Ja«, sagt Samuel langsam und guckt mich suchend an, »naja, also, ich finde ja«, er zögert, »man ist ja auch irgendwie die Summe dessen, was man tut.«

»Aber doch nicht nur!«, protestiert mein Vater entschlossen. Leidenschaft! Unglaublich.

»Was wär denn, wenn du nicht immer etwas tun würdest? Bleibt dann etwa nichts übrig?« Ich wette, meine Mutter hat sich in diese sanfte Leidenschaft verliebt, damals. Samuel senkt den Kopf und sieht auf seine Beine, die linke Hand sucht seine rechte. Er faltet sie, und langsam beginnt der eine Daumen um den anderen zu streichen. Ich lehne mich nach vorne, um ihm genauer zusehen zu können, ducke mich ein bisschen, ich will seine Augen sehen, will wissen, ob er richtig loslegt, ob er sich wirklich Tränen rausdrücken kann oder ob er vorher loslachen muss. Die Falle, die er ausgelegt hat, ist genial. Ich bin sicher, sie haben ihn gleich erkannt: den *Hero*. Sie wissen also, was zu tun ist. Pädagogen aus Leidenschaft. Das ist ja ihre Theorie, dass man die Welt verändern und zum Guten wenden kann. Wenn man nur anpackt. »Weißt du, Samuel, vieles zu erreichen, was andere für erstrebenswert halten, bedeutet ja nur, dass man mithalten kann auf dem Anerkennungsmarkt der anderen«, sagt mein Vater. Es ist still. In die Stille hinein lehnt sich mein Vater zurück in seinen Korbstuhl, langsam und fast geräuschlos. Es ist die einzige Bewegung im Raum. Er ist selbst beeindruckt von seinem geschliffenen Satz, seiner Wirkung. Ich bin es auch. Er konnte ihn tatsächlich auswendig. Sie sind Samuel voll ins Netz gegangen. Samuel blickt kurz hoch, guckt gerührt. Meine Mutter, als er den Blick wieder gesenkt hat, mit der Stimme einer Vertrauenslehrerin: »Das ist ein Weg, bei dem man nie ankommen kann!«

Wortlaut aus dem Buch. Sie sind großartig. Vielleicht haben sie sich die Sätze aufgeteilt. Ich wette, sie lesen sich heute Abend gegenseitig aus Ihrer Pädagogenbibel vor, und weil sie es wissen und es sogar nachlesen können, dass sie alles richtig gemacht haben, küssen sie sich und krönen ihren Abend mit Sex. Richtig gutem Sex, der im Alter immer besser wird.

»Echt, Samuel«, sage ich in ihre ernst gemeinte Betroffenheit hinein, mache meinen neuen Gameboy an und sein fiepender Midisound ist so fehl am Platz wie Mitleid mit ihnen, »spiel mal mehr. Ist wichtig für Kinder, sage ich ja die ganze Zeit.«

Mein Geburtstag war gelaufen, nachdem er uns gesehen hatte. Samuel hat lange nichts gesagt. Wir sind einfach nebeneinander hergelaufen, stumm, und nichts weiter. Mein Schwanz hat in der Hose gedrückt, aber ich hab mich nicht getraut, irgendwas dort unten zu berühren, nicht in Samuels Gegenwart. Lächerlich eigentlich, als ob das irgendetwas hätte retten können.

Dann, nach einer halben Stunde oder mehr sagte er: »Du bist pervers.« Ich habe nichts dazu gesagt. Was hätte ich auch sagen sollen.

Samuel liegt halb auf der Straße, halb auf dem Gehweg. Er ist plötzlich in sich zusammengesackt. Er wollte einfach nicht aufhören zu laufen. Schon gestern war er fiebrig, glänzte der kalte Schweiß auf seiner Stirn. Ich halte seinen Kopf. Einige Leute sind stehen geblieben, ich höre das Bellen fremder Stimmen, das verflochtene Gewirr der aufgeregten, fremden Worte. Ich befühle seinen Kopf, ich trockne seine Stirn. Samuel öffnet seine Augen mühsam, verdreht sie im hellen Licht. Das Hupen, das Treiben, der laute türkische Pop aus offenen Autofenstern, den kleinen Geschäften, die Hitze schnurrt in einem ganz eigenen Ton. Der Gestank des Verkehrs. Ich ziehe Samuel endlich ganz auf den Bürgersteig. Ein aufgeregter älterer Mann hilft mir, lächelt besorgt. Samuel musste ja unbedingt die Zeit nutzen, so angestrengt jede Minute erleben, suchen, laufen, finden wollen. Er konnte nicht sitzen, er musste unterwegs sein, konnte einfach nicht stillhalten in dieser Stadt. Der alte Mann klopft ihm auf die Stirn und sieht mich ernst an. Er fragt mich etwas, sein Schnurrbart wackelt und ich zucke mit den Schultern. Der Mann nestelt Samuel am Hals herum, dass er leise und kraftlos stöhnt. Der Mann erhebt sich und macht einen Schritt auf die Straße, er reißt den Arm in die Luft, ein Taxi hält.

Meine erbärmliche Verzweiflung. Ich muss mich zusammenreißen, dass ich nicht anfange zu weinen, weil mir die Dinge entgleiten, weil ich mich so fremd und falsch fühle, weil ich das Gerede, das Gebrüll, das Wirrwarr nicht verstehen und ordnen kann. So lange Samuel stehen konnte und laufen wollte und scheinbar irgendeinem Plan folgte, gab es eine Folge von Handlungen, die mich durch die Tage zog und mir Sicherheit verlieh, der ich mich mit tranceartiger Leichtigkeit hingeben konnte. Aber jetzt, wo Samuel liegt, glühend, mit sich ständig erneuerndem kalten Schweiß am ganzen Körper, wimmernd und zittrig, und ich verantwortlich bin, die Dinge in die Hand zu nehmen, fühle ich mich so, wie ich es mir längst nicht mehr zugetraut hätte. Wie erbärmlich, dass ich mich jetzt nach meinen Eltern sehne, die über allem stehen würden, die es gar nicht erst so weit hätten kommen lassen, die wüssten, was zu tun wäre, die, auch ohne Türkisch sprechen zu können, die Lage im Griff hätten.

Der alte Mann stößt mich an und deutet mir, Samuel in den Mercedes zu tragen. Ich bin froh, etwas zu tun und nicht länger einfach dazustehen. Der Mann, sobald Samuel im Wagen sitzt und schnauft und immerhin die Augen offen hält, lächelt mir zahnlos zu, tätschelt meinen Hinterkopf und deutet auf den Beifahrersitz. Ich verneige mich vor ihm. Er lacht und sagt einen Satz, der mir unendlich lang vorkommt.

[Vielleicht ist es nur das bisschen Wind, das ihren Pony anhebt oder die Bewegung, die sie macht, aber sie wirkt voller Kraft auf diesem Bild. Zwar dreht sie sich weg und will dem Foto ausweichen, aber sie dreht sich mit einem Lächeln, kokett.]

»Weißt du, was ich glaube: dass Bubu richtig Asche hat.«

»Quatsch«, sagt Samuel. »Wo soll denn der Kohle her haben?«

»Echt, der ist so sparsam, ich glaub, der sammelt das Geld irgendwo.«

»Was denn für Geld?«

»Na, der gibt immer nur Geld aus, das er auch verdient, sein Pfandgeld oder was er verkauft kriegt von dem Kram, den er findet. Aber der kriegt ja auch Stütze.«

»Und wovon bezahlt der sein Essen und Saufen?«

»Vom Betteln. Außerdem bezahlt der ja nichts, klaut wie ne Elster, futtert umsonst im Supermarkt und was er noch findet, der frisst ja alles, aus'm Mülleimer, kennt der gar nichts. Und Rauchen: auch nur die Stummel.«

»Wozu soll der sparen?«

»Was weiß ich, aber ich glaub eben, dass der spart, warum ist der sonst so geizig?«

»Der sagt doch ständig, dass er keine Kohle hat.«

»Ja, eben.«

»Wie?«

»Ja, sagt er, damit er nichts ausgeben muss. Der plant irgendwas, bin ich mir sicher.«

»Fänd ich witzig. Vielleicht will er ja echt mal weg.«

Wir sind umgezogen in ein Zweierzimmer. Wir müssen zwar etwas mehr zahlen, aber Samuel braucht Ruhe im Moment.

Durch das winzige Fenster fällt nur wenig Licht in den kahlen Raum. Ich habe trotzdem ein Tuch in den Rahmen gespannt, jetzt ist es dämmrig, obwohl draußen die Sonne brennt, obwohl der Tag im Gange ist. Man hört den Straßenlärm, die Möwen, das Gurgeln der alten Abwasserleitungen. Es ist heiß, auch hier, dreißig Grad vielleicht, draußen ist es noch heißer. Samuel liegt auf der Matratze, in einige dünne Decken gewickelt, von Zeit zu Zeit wimmert er, wirft sich hin und her und stöhnt atemlos. Ich knie mich zu ihm hin. Ich wringe den Lappen aus, mühsam öffnet er die Augen, stiert mich an, sagt: »Mach, dass die aufhören.«

»Was meinst du, Samo?«

»Sag denen, sie sollen aufhören zu bohren, ich kann das nicht mehr hören.«

»Es bohrt niemand.«

Er richtet sich auf, mühsam hebt er den Brustkorb, den Kopf, sieht mich an mit seinen fiebrigen Augen, aber sein Blick geht an mir vorbei, durch mich hindurch: »Die sollen aufhören zu bohren, sonst dreh ich durch.« Ich rieche seinen stinkenden Atem, ich habe Angst. »Du musst was trinken, Samo«, sage ich und halte seinen Kopf mit einer Hand. Er murmelt in einem weinerlichen Ton, ich verstehe nur einzelne Worte, *Bohren* und *Ende*.

»Ist gut«, sage ich und erinnere mich, dass gestern Abend und heute früh draußen auf der Straße Metallrohre zugeschnitten und verlegt wurden, eine Flex, ein Bagger, ein Schweißgerät. »Ist gut«, sage ich noch mal, »kümmer' ich mich drum.« Und Samuel sackt zurück, schließt die Augen, ist zurück in den Tiefen, aus denen er sich kurz zu mir hochgekämpft hatte. Ich halte die Hand über sein Gesicht, fühle seinen kurzen heißen Atem in meiner Handfläche. Da ist Glut in ihm. Vorsichtig ziehe ich die klammen Decken von seinem Oberkörper, wische mit dem Lappen seine feuchte Haut, streichle sein Gesicht mit diesem Tuch, tauche es wieder in das Wasser, wringe es aus, kühle auch seine Beine. Samuel ist nicht da, nur sein Wimmern, der kranke Atem. Ich träufle Wasser in seinen leicht geöffneten Mund, er schmatzt leise und ich denke: Es ist zu wenig, viel zu wenig, und ich will mehr Wasser in ihn hineinträufeln, aber Samuel hat den Kopf zur Seite gedreht, er atmet in meine Richtung.

Ich gehe Orangen kaufen.

Der Morgen danach, nach meinem Geburtstag, nach Irene. Ich weiß noch, wie ich in Stambul hocke und wünsche, es wäre gestern. Wie ich sitze und glotze und Samuel und mich in allem sehe. Da liegt der kleine rote Teppich, auf dem meine Schuhe stehen, er ist aus dem Keller meiner Eltern. Die Fotos an den Wänden, wie aus einer anderen Zeit, Bilder von Partys, aus verschiedenen Sommern, Samuel badend im Kanal, Lina und ich in der Hollywoodschaukel, die Dachdeckaktion, die Wildblumen, die Unordnung, das dreckige Geschirr – das alles sind wir, der ganze türkische Quatsch hier: die Wasserpfeife, die kitschigbunten Bilder von Istanbul und ihre golden glänzenden Rahmen, der Gebetsteppich, den ich ihm geschenkt habe, die billigen Poster wie aus einer türkischen Bravo, sein Sultan-Teekocher.

Ich stehe auf, gehe raus, hinaus in den Garten. Die Hollywoodschaukel quietscht leise. Es ist ruhig, noch früh. Ich liebe die zwei Bäume, zwischen denen unser Ufer ist, sie bilden eine kleine Pforte hin zum Kanal, daneben die Weiden, die wir in alle Richtungen gepflanzt haben, um uns ein bisschen unsichtbarer zu machen. Der Knöterich ist in den zwei Jahren schon über die halbe Veranda gewuchert, hat sich um einen Balken geschlungen, ist bis kurz vor das Dach gekrochen.

Man sieht noch immer die Narben im Boden. Ein Garten, der von Besitzer zu Besitzer seine Oberfläche verändert hat. Wir haben fast nur Rasen, in dem die hellen Flächen mit dem jungen Gras die früheren Steinplatten und Beete verraten.

Ich wünschte, er wäre hier und würde mir sagen, was ich tun soll. Ich wünschte, er wäre hier und ich müsste nicht das Gefühl haben, dieser Moment, dieser lange Moment, der von gestern Abend bis heute oder irgendwann geht, wäre einer dieser Momente, der ein Leben in zwei Teile teilt. Ich rieche, ich gucke herum und frage mich, ob es eben einfach so sein muss und ob das hier der Tag ist, das die Farben sind, das Wetter, die Gerüche, die ein Moment hat, der einem einen Teil von sich abschneidet, der einen zurechtstutzt und ich frage mich, was zu unternehmen wäre, ob noch was zu retten ist.

Ich hatte nie auch nur die leiseste Befürchtung, dass etwas zwischen uns treten könnte. Ich hatte es ausgeschlossen, nicht für möglich gehalten, mehr noch, ich habe es nicht denken können. Jetzt stehe ich barfuß auf dem frühkalten Rasen und staune, was ich alles nicht gedacht habe.

Samuel hat nicht geschrien, er schreit nicht. Und er weint nicht. Er ist nur neben mir gelaufen, er hat nichts gesagt, nur diese drei Worte, *du bist pervers,* hat nur zügig und eilig und fest seine Füße auf den Boden gesetzt und mir ab und zu einen kurzen Blick zugeworfen. Er hat unsere Fahrräder aufgeschlossen, sie auseinandergehakt, mich noch einmal länger und prüfend angesehen und kurz hatte ich gehofft, er würde noch irgendetwas sagen. Er hat aber nichts gesagt und ist gefahren. Er hätte mich anschreien sollen, er hätte weinen oder mich schlagen sollen, er hätte irgendwas sagen sollen, aber er ist einfach gefahren. Der mit den Räuberhänden legt seine Gefühle nicht auf den Tisch.

Ich ziehe mich aus. Lasse Hose, Unterhose, und Shirt auf den Rasen fallen und stehe da, nackt und glotze auf das trübe Wasser, es fröstelt mich. Ich komme mir unwirklich vor. Das Wasser im Kanal reicht an der tiefsten Stelle bis zur Mitte meines Oberschenkels. Ich hocke mich hin, so dass nur noch der Kopf über der Wasseroberfläche ist, dann tauche ich ganz unter. Ich frage mich, was ich hier eigentlich tue. Ich habe keine Idee, was ich mit mir anfangen könnte, wohin ich gehen sollte, wo es besser, erträglicher wäre. Zu Hause wartet dasselbe auf mich. Ich sehe es vor mir, mein Zimmer mit seinem Bett, das wie immer gemacht ist, fein und exakt. Seine Ecke vom Schreibtisch, die er mit hochkant gestellten Büchern von meiner Ecke abtrennt, um mein Chaos von sich fernzuhalten, dieser Spinner. Seine Fläschchen, Döschen und Cremes im Bad. Seine Klamotten in meinem Schrank. Sein Geruch; seine Töne, sein Lachen, das alles, das ganz besonders da ist, wenn es nicht da ist. Der Boden unter meinen nackten Sohlen ist schlammig und weich, meine Füße versinken darin. Ich sehe den Schlamm langsam aufsteigen und sich träge mit dem trüben, stehenden Wasser verwirbeln. Der faulige Geruch steigt in meine Nase. Ich hocke so da im Kanalwasser und frage mich, was das alles eigentlich soll.

Ich steige aus dem Kanal, stehe nackt auf der Uferkante und blicke auf Stambul. Mein Körper zittert. Irgendwo erwacht ein Bellen und steckt andere an, die Fähnchen hängen schlaff von ihren Stangen, ein Libellenpärchen tanzt vorbei und dicht unter der Wasseroberfläche sonnt sich ein Schwarm Kaulquappen. Es ist, als wäre nichts gewesen, gar nichts. Dass ich mich in der selben Haut so anders fühlen kann, dass nichts und nichts sich geändert hat, dass es keine Veränderung der Farben, keine anderen Töne, Orte und Gerüche gibt, dass alles beim Alten bleibt, nur ich irre umher. Ich gehe in unsere

Hütte, nackt wie ich bin, lasse meine Kleider draußen liegen und lege mich flach auf den Boden. Ich werfe eine Decke über mich. Ich kann schlafen.

»Es kratzt am Knochen«, sagt Samuel. Und ich hatte gedacht, er sei wieder einigermaßen bei Sinnen. Er kann seinen Tee in der Hand halten, aufrecht sitzen und sieht mich an, wenn er spricht. Aber er redet wirr. »Es ist feucht unter der Haut, da reibt einer mit dem Fingernagel immer auf der gleichen Stelle überall und es kratzt am Knochen, die reiben aneinander, nur die Knochen.« Ich reiche ihm den Teller mit dem geschnittenen Obst. Er sieht ihn nicht und sein Kopf fällt in den Nacken und gegen die Wand. Es schüttelt ihn. »Es ist so trocken, mein Arm tut weh, es ist so weich und so hart und man denkt, es wäre so weich und es ist so hart«, sein Blick geht gegen die Decke, er leckt sich die trockenen Lippen, die Zunge stockt bei der Bewegung, so trocken ist die Haut.

»Du musst trinken«, sage ich.

»Jaja«, sagt er und sieht mich böse an. »Jaja«, ruft er und kommt mir mit dem Kopf etwas näher. »Ja!«, schreit er und heult und fällt zur Seite. Ich nehme ihn in den Arm. Seine Muskeln zucken. Ich wüsste gerne, wo er ist. Dann könnte ich bei ihm sein und ihm helfen, vielleicht.

Ich sage: »Samo, wir müssen zum Arzt.«

»Fick dich selbst«, zischt er und holt aus und schlägt nach mir, schwächlich, verfehlt meinen Körper. »Geh doch«, faucht er und dreht sich um, »ich geh hier nicht weg.«

Der Tag nach Irene, als wolle er nicht vorübergehen. Ich rieche das brackige Kanalwasser, das an meiner Haut getrocknet ist. Ich habe ein paar Stunden geschlafen, es ist Mittag. Draußen steht die Sonne über mir. Ich fahre nach Hause, dann zu

Lina, irgendwas muss passieren.

Ich drücke ihre Klingel. Linas Mutter öffnet die Tür, lächelt und bittet mich herein. Eigentlich mag sie mich nicht, das weiß ich. Sie will mich nicht in ihrem Haus. Sie traut mir nicht, sie traut keinem, den sie nicht kontrollieren kann. Immerhin bin ich der Sohn meiner Eltern und kein Pennersohn. Lina kommt die Treppe heruntergepoltert, legt sich mir um den Hals, würdigt ihre Mutter keines Blickes und zieht mich wortlos hoch in ihr Zimmer. Sie schmeißt sich wieder auf ihr Bett und sieht ihre Sendung weiter, sieht mich nicht an, aber redet mit mir. Erzählt mir, um was es in der Sendung geht. Sie ahnt nichts und klopft ohne hinzusehen neben sich auf die Decke, ich soll mich zu ihr setzen. Kleine Menschen an Stehpulten stehen sich gegenüber und schreien sich an. Ein Mann hat seine Frau über Wochen in ein Zimmer eingesperrt. Weil sie sich, kaum sei er bei der Arbeit gewesen, vom halben Wohnblock habe ficken lassen, sagt der Mann. Wie Lina daliegt in ihrem spanhölzernen Jugendzimmerbett. Es ist staubgesaugt, es gibt keine Unordnung, abgesehen von der gewollt verrückten Anordnung kleiner Überraschungseierfiguren auf ihrer Fensterbank. Man müsste durchdrehen, sich einfach vergessen, allen Anstand ausschalten und sehen, was dann passiert. Alles zertreten, alle Schubladen aus den Schränken reißen, alle Bücher auf einen Haufen werfen, hier, mitten im Zimmer, alle Regale ausräumen und auftürmen und alles miteinander mit Benzin übergießen und anzünden. Man müsste alle Gedanken vergessen.

»Was stehst du da«, sagt Lina, »jetzt komm schon, leg dich hin«, sie sieht wieder zum Bildschirm. Ich setze mich neben sie. Irgendwann ist es der eingesperrten Frau gelungen, zu fliehen. Sie ist sofort zu einem anderen Typen gezogen, der jetzt im Fernsehstudio ihre Hand hält, gemeinsam stehen sie ihrem Exmann gegenüber, sie beleidigen sich gegenseitig; nur die Frau steht und schweigt. Ich denke: es macht keinen Sinn, stundenweise auszuflippen.

Ich lege meine Hand auf Linas Rücken, ich fühle ihre Schulterblätter durch den dünnen Stoff ihres Oberteils. Ihre weiße Haut, die rasierten Beine, sie ist so hübsch und glatt, sie interessiert mich nicht. Ich habe zu Hause geduscht, natürlich, lange geduscht und mich gründlich gewaschen und ich musste an Deutschunterricht denken und daran, dass in allen möglichen Büchern immer alle Protagonisten duschen und sich waschen, wenn sie sich schuldig gemacht haben. Ich habe mich nicht reinwaschen wollen. Ich wollte nur sichergehen, dass kein Geruch hängen geblieben ist. Trotzdem denke ich: vielleicht kann sie doch noch etwas riechen, wirklich riechen, meine ich, Irene oder das Ficken. Ich würde gerne durchdrehen, eigentlich, und erzählen von dem, was sich ereignet hat und in die Gesichter der Leute glotzen und lachen, wenn sie dastehen sollten mit offenem Mund und den Kopf schütteln, sich ekeln oder denken: Was für ein Schwein. Ich würde gerne darauf scheißen, was sie von mir denken. Es sind nur ein paar Worte, die ich aussprechen müsste, es würde keine Minute dauern, ich wäre ein anderer. Ich sage nichts, sehe Lina nur an, von schräg hinten im Profil. Der Exmann lächelt und nimmt eine Blume aus dem Stehpult und geht herüber zu seiner Exfrau und hält sie ihr hin und sagt in einer widerlich überlegenen Art zu dem neuen Freund der Frau, dass sie sich noch immer treffen, fast jeden Tag, was er wohl glaube, was sie mache, wenn sie Zigaretten holen oder mit dem Hündchen gassi gehe: ficken, vögeln, bumsen, pumpen, richtig feste, er klopft sich auf die Brust. Der Neue bekommt kein Wort heraus, zieht nur seine Hand zurück und sieht seine Freundin an, seine Augen sagen: Sag mir, dass das nicht wahr ist. Sie sieht nur auf ihre Hände vor sich auf dem Pult und redet von Liebe und zuckt die Schultern. Dann ist die Sendung zu Ende.

Ich lege mich zu Lina, neben sie auf den Bauch, genau wie sie, lege mein Kinn auf die übereinander gelegten Fäuste und grinse sie an. Sie sieht mich nicht oder tut so. Der Abspann läuft, sie schaltet zwei Mal um, dann aus und legt sich auf den Rücken. Ich drücke mein Gesicht auf ihre Brust und sie drückt mich vorsichtig von sich. Sie hat keinen Schimmer, denke ich, jetzt ist es egal, und lege meine Hand zwischen ihre Beine, sie stößt sie eilig und bestimmt weg und sieht mich böse an. Mein letzter halber Versuch. Ich sehe sie an, sie sieht zur Decke. Ich denke an Irene, wie sie vor mir steht mit ihrem leicht geöffneten Mund, den milchigen Augen, den roten, feuchten Lippen, hinter denen ihre aufgeregte Zunge leise zittert. Ich fühle ein Pochen in meinem Schwanz. Wenn Lina mich jetzt ließe, würde ich sie ficken, um es zu einem Ende zu bringen. Ich stehe auf, sie knurrt leise, ich gehe zur Tür. Sie fragt, was ich vorhabe, ich lehne mich in den Rahmen und denke, ich sollte es ihr sagen und gehen. Im schlimmsten Fall, was würde ich verlieren? So groß ist das Bedürfnis nicht, in diesem Zimmer zu stehen, mit ihr herumzuliegen. So viel verliere ich nicht. Ich sollte meine Hose aufmachen und ihr meinen halbsteifen Schwanz zeigen. Ich sollte ihre scheiß Überraschungseier herunterwerfen. Ich gucke sie an, sie schnaubt genervt und fragt nochmal: »Was ist, was hast du, was stehst du da so komisch rum, jetzt sag halt.« Und ich überlege und versuche jeden Ausdruck aus meinem Gesicht zu verbannen. Dann sage ich langsam und leise:

»Ich geh jetzt. Glaub nicht, dass wir uns noch groß treffen sollten.«

»Was?«

»Hab keine Lust mehr, irgendwie.«

»Was?«

Ich sage nichts.

»Das ist nicht dein Ernst«, sagt sie, setzt sich auf und sieht mich an. »Das ist'n beknackter Witz, oder?«

»Tschüß, Lina.«

»Du Arschloch! Was soll das, was ist das für ne Scheiße? Kannst nicht einfach so Schluss machen mit mir.«

Ich sage nichts, gucke auf den Teppich vor mir, spiele mit den Zehen darauf herum.

»Was war denn das dann gerade für ne Aktion? Mich schnell noch mal anfassen. Was wär denn gewesen, wenn ich dich hätte machen lassen? Dann hättest du mich noch schnell gevögelt und dann hättest du Schluss gemacht oder was?«

Ich zucke mit den Schultern und gucke sie nicht an. Sie raschelt etwas, klopft mit der Hand auf ihrem Oberschenkel und sagt dann: »Verpiss dich, hau bloß ab, du Arschloch.« Und ich nicke, drehe mich um und gehe. Poltere die Treppe runter, unten wartet schon ihre neugierige Mutter und fragt, was denn los sei, ob ich schon wieder gehen wolle, aber ich antworte ihr nicht, ich brauche ihr nicht mehr zu antworten, nie mehr, brauche nicht mehr höflich zu sein. Sie sagt, wie jedes Mal, »grüß deine Eltern schön von uns«.

»Scheiß werd ich«, raunze ich im Rausgehen und ich höre sie meinen Namen sagen. Es ist mir egal. Alles ist egal. Ich fahre nach Stambul. Wohin sollte ich auch sonst.

Ich sitze gegen die Wand gelehnt an seinem Kopfende und glotze an die Zimmerdecke. Die Haare kleben an meinem Schädel, unter meinem T-Shirt läuft der Schweiß, ein leises Kitzeln auf der Haut. Ich würde gerne etwas denken, aber da ist nichts. Ich habe seit Tagen kaum ein Wort gesprochen.

Laufe, hocke, schlafe nur, wiederhole die täglichen Gänge, die Besorgungen, das Waschen von Samuels Körper, das Pressen der Orangen, ich summe ihm Melodien vor, damit wir beide einen Klang im Raum haben, krümele mit gedehnter Ruhe Salzstangen und getrocknetes Brot in seinen Mund, tröpfele Wasser auf seine harte Zunge. Ich zwinge mich, immer nur das Allernötigste zu kaufen, winzige, kaum lohnende Einkäufe, damit es morgen auch noch was zu tun gibt, damit ich auch morgen wieder aus dem Zimmer komme. Mein Mund steht offen, ich höre meinen Atem, dann fühle ich den Durst, trinke und gehe auf unser Klo, um mein Gesicht zu waschen, zu kühlen. Als ich zurückkomme, hocke ich mich neben Samuel, meine Hände liegen auf meinem Oberschenkel und ich gucke hoch zu dem winzigen Fenster, von dem das mehlige Licht kommt. Ein Gedanke fällt mir in den Kopf: Seine Hände. Wenn er liegt und schläft, zu entkräftet ist, den Kopf zu heben, müsste ihm auch die Kraft fehlen, seine Finger weiter zu zerbeißen. Ich nehme seine linke Hand in meine, untersuche die Finger. Es ist dunkel, ich halte seine Hand dicht vor meine Augen und taste mit den Fingern. Sie sehen gut aus, verhältnismäßig. Wenigstens das: sie hatten etwas Zeit zu heilen. Die Haut um seine Nägel ist rot, junges Fleisch, denke ich und sehe lauter kleine schwarze Punkte in dem Rot. Ich mache das Licht an, um mehr zu sehen. Fast jeder seiner Fingernägel ist in seinem Bett umgeben von diesen Pünktchen. Was ist das, was sind das für Punkte?

[Ihr Blick durch die zusammengekniffenen Augen ist warm und herausfordernd. Jedes Mal denke ich, dass sie gerade einen Witz gemacht haben muss und ich fange an zu lächeln, ohne den Witz zu kennen.]

Was mache ich alleine mit diesen Tagen. Ich kann nicht den ganzen Tag hier bei ihm liegen und nichts tun. Ich bin in Istanbul. Istanbul ist nicht nur mit Samuel Istanbul, auch, wenn es mir so vorkommt. Ich trotte durch die Straßen, laufe ohne Interesse, denke an Samuel, an mich, zähle im Kopf das Geld, das uns bleibt. Wir haben nicht mehr viel. Ich glotze dumm auf den Boden, der unter meinen Füßen entlangzieht und wünsche mich nach Hause, wo ich weiß, was ich kann, wo ich sicher bin und stärker. Istanbul ist ein Schlauch. Ein heißer Raum ohne Anfang und Ende, der an meinen Nerven zerrt und überlaut die Töne aufeinanderschichtet, von allen Seiten Gerüche in meine Nase fächelt, die wie Feinde sind. Ich esse nur noch, was verschweißt ist, trinke Wasser aus Flaschen, nichts sonst. Diese Stadt darf nicht auch noch mich vergiften, denke ich, sonst gehen wir unter und verloren. Ich weiß, ich tue, als sei ich im Mittelalter gefangen. Coca Cola und McDonalds, Gucci und Armani, Autos, Wolkenkratzer, Metro. Ich weiß, ich spinne, ich fantasiere, ich übertreibe endlos. Ich finde keinen Halt mehr.

Mit Samuel hat es nicht zwei Mal denselben Weg gegeben. Wir haben jeden Tag alles neu erobert. Alleine habe ich meinen Radius erheblich verkleinert. Ich war nicht mehr aus unserem Stadtteil heraus, laufe die immergleichen Strecken, kaufe bei dem immergleichen Händler in einem inzwischen stillen, wortlosen Rhythmus, er grüßt mich, die Händler auf der Straße, die vor ihren Geschäften stehen, sprechen mich nicht mehr an, weil sie wissen was und wo ich kaufe, man lässt mich in Ruhe. Inzwischen kenne ich diese paar Straßen sicher, bewege mich wie ein Einheimischer. Das gibt mir Ruhe. Aber es ist nur das Warten auf die Rückkehr. Ich habe Schluss gemacht mit Istanbul. Es interessiert mich nicht, ich habe keine Lust mehr. Es ist mir zu groß und zu fremd.

In dem kleinen Kiosk oben an der Straße kaufe ich zwei Flaschen Cola und eine Packung Salzstangen. Samuel ist abgemagert, er muss essen und trinken, aber nichts bleibt in seinem Körper. Ich denke an meine Mutter und wie sie früher, wenn ich Durchfall hatte, in der ersten großen Pause extra aus der Schule kam, um mir Cola und Salzstangen zu bringen. Wie sie frühmorgens die Vorhänge in meinem Zimmer wieder zugezog, mir einen Kamillentee ans Bett brachte und die Geräusche leise und entfernt polternd wieder aus dem Haus auszogen. Ich habe mich, in die Decke gemummelt, vor den Fernseher gehockt, Frühstücksfernsehen, Zeichentrick, und um halb zehn bin ich kurz zurück ins Bett, habe ein paar Minuten gewartet, dann kam meine Mutter mit Cola, die ich sonst nie trinken durfte, und Salzstangen, küsste und streichelte mich und verschwand wieder. Ich liebte diese Tage, ganz allein in der Stille unseres Hauses, ohne Schule, mit Cola und Fernsehen. Ich war öfter krank, als ich krank war.

Jetzt zähle ich die Münzen aus meiner Tasche in die Hand des gepflegten Kiosk-Besitzers, der immer einen Tee vor sich hat. Die Männer vor dem Shop sitzen auf kleinen Hockern, lesen Zeitung, auch sie grüßen mich inzwischen. Auf dem Rückweg zähle ich das Geld. Wir haben nicht mehr viele Lira. Dazu den Rest in Euro, für den Rückflug. Das Zimmer ist nur noch bis zum Ende der Woche bezahlt. Ich stolpere über das unebene Pflaster. Mir fallen ein paar Münzen aus der Hand, ich fluche, bücke mich, sofort kommt ein kleines Kind dazu gerannt, sammelt mit mir die Münzen auf. Ein Auto zischt durch die Straße, der Fahrer sieht uns hocken, macht keine Anstalten, zu warten oder wenigstens zu verlangsamen, wir flüchten an den Rand, dann sammeln wir weiter. Die Kleine mit den klaren Augen, ihrem feinen Haar, den hellen Milchzähnen, sieht mich immer wieder kurz an. Als wir fertig sind und den Boden überprüft haben, kommt sie herüber zu mir, gibt mir artig und selbstverständlich die Münzen. Ich nehme ihre winzige Hand, drehe sie herum, halte sie wie das Händchen einer winzigen Prinzessin, verneige mich vor ihr, senke meine Stirn auf ihren Handrücken, überkreuze meine Beine. Die Kleine lacht und hüpft ein bisschen, ich lache mit ihr und schenke ihr eine Flasche Cola. Ich gehe weiter, sie steht noch und sieht mir nach. Als ich mich umdrehe, winkt sie mir. Am besten sollten wir jetzt fahren. Das ist der schönste Abschied, den ich denken kann.

Entwurf, möglicherweise so: 1960 wird Osman geboren, in der Nähe von, sagen wir: Mersin, im Süden, am Mittelmeer. '63 geht sein Vater nach Deutschland, als einer der ersten. Osman und seine Mutter bleiben in der Türkei, bis der Vater sie '64 nachholt. Die Eltern arbeiten beide, verdienen okay. Sie sind freundliche, aufgeschlossene Menschen, die sich gut integrieren, sie bemühen sich, dem kleinen Osman das Erlernen der deutschen Sprache zu erleichtern, schicken ihn in einen Kindergarten. Osman ist ein kluges Kind, lernt schnell und als er in die Schule kommt, spricht er schon sehr gut Deutsch, so dass er dem Unterricht ohne Probleme folgen kann. Osman, ein Musterbeispiel für gelungene Integration. Warum nicht? Osman ist ein hungriger kleiner Junge, der viel wissen will, der erfolgreich sein möchte, ein Liebling seiner Lehrerin, einer jungen Lehrerin, die stolz ist auf den Vorzeigetürken in ihrem Klassenverband. Osman kommt auf das Gymnasium und es ist ihm eine Genugtuung, ohne Probleme kommt er auch hier zurecht. '79 macht Osman ein ordentliches Abitur und fängt noch im selben Jahr an zu studieren. Deutsche Linguistik, er will die deutsche Sprache richtig verstehen, sagt er sich. Im Studium lernt er eine Frau kennen, in die er sich verliebt. Nach einigem Werben werden sie ein Paar. '81 heiraten sie, auf Wunsch von Osmans Eltern vermutlich. Osman gibt nach einigem Hin und Her das Studium auf und arbeitet als Übersetzer für verschiedene große Firmen, vielleicht: Volkswagen, Continental. Gegen Ende des Jahres bekommt Osman wichtige Post: die Einberufung für den türkischen Militärdienst. Er versteckt den Brief, ignoriert ihn. Nichts passiert. Osman arbeitet weiter, als wäre nichts gewesen, er verdient gut. Osman und seine Frau ziehen um, in eine größere, modernere Wohnung. Alles verläuft nach Plan, Osman schafft sogar ein kleines Auto an. Er ist gefragt und beliebt, man beschäftigt ihn gerne, diesen klugen, freundlichen und gebildeten jungen Mann. Alles scheint leicht und gut, auch wenn das Glück, die Verliebtheit daheim etwas verflogen scheint. Dass die Ehe nicht immer nur leicht ist, weiß auch Osman. Kleinere Affären, unbedeutende Seitensprünge auf Betriebsfeiern, nichts Ernstes. '85 lernt er Irene kennen. Die junge Irene wohlgemerkt, die eine wilde, leidenschaftliche Frau mit vielen Träumen und großen Plänen ist. Sie ist schön, zumindest auf den Fotos aus dieser Zeit sie hat etwas mädchenhaft Unschuldiges und verspricht etwas, von dem man Teil sein möchte. Sie treffen sich zum ersten Mal, möglicherweise in dem kleinen Geschäft, in dem Irene jobbt, um etwas Geld zu verdienen. Osman geht hier öfters einkaufen. Sie unterhalten sich, sie flirten, sie gehen Kaffee trinken, sie verlieben sich. Sie haben eine Affäre, eine Liebschaft, eine glühende, pochende Verliebtheit, schwärmend, wuchernd, so dass es zunehmend kompliziert wird, sie zu verheimlichen. Im Januar '86, Irene ist seit zwei Wochen schwanger und ahnt es noch nicht einmal, muss Osman zum Konsulat, einen neuen Pass beantragen, der alte ist abgelaufen, seine Aufenthaltsgenehmigung mit ihm. Das Konsulat verweigert die Ausgabe, Osman muss schleunigst in die Türkei ausreisen, den achtzehnmonatigen Militärdienst ableisten. Alle Proteste laufen ins Leere, alle Argumente, die Planung einer Familie, die Fotos von der Hochzeit, sein gut bezahlter Job, sein perfektes Deutsch, seine durch und durch deutsche Biographie, das alles nützt nichts, rein gar nichts. Osman muss ausreisen. Keine zwei Wochen später ist er in Istanbul beim Militär. '86, die Unruhen zwischen Kurden und Türken schwelen, in den Auseinandersetzungen zwischen türkischem Militär und PKK sterben im Laufe der Jahre geschätzte dreißigtausend Menschen. Es mag sein, Osman hatte einfach Sorge, dass das Militär bevorzugt die deutschen Türken in ihren Reihen in die Krisengebiete schickte. Mag sein, er hatte keine Lust, sich in Kämpfen aufreiben zu lassen, mit denen er nichts am Hut hatte. Osman, der Frau und Familie und Geliebte in Deutschland hatte, der nichts mit der Türkei zu tun hatte, der nur nach Deutschland zurückwollte, der nichts, aber auch gar nichts gegen die Kurden hatte. Warum sollte er hier den Kopf hinhalten? Und so, mag sein, hat er die Stirn geboten. So abwegig ist es nicht. Hat einen Befehl verweigert, sich in Auseinandersetzung begeben, mit Vorgesetzten zu diskutieren begonnen, Rechte eingefordert. Ich weiß nicht, wie schnell man der Befehlsverweigerung angeklagt wird, der Unruhestiftung? Wie schnell landet man im Militärgefängnis? Ich kann es mir nur denken, anhand der Geschichten, die man noch heute manchmal hört. Folter im Militärgefängnis? In den 80er Jahren? Denkbar, möglich.

Es ist kein Zufall, denke ich, dass Samuel die vom Leben gezeichneten Männer am Straßenrand fotografiert, Männer ohne Zähne. Irene soll einmal erzählt haben, sie hätten ihm die Zähne aus dem Mund geschlagen beim Militär. Woher sie das gewusst haben wollte, keine Ahnung. Osman, ein gebrochener Mann, als er aus der Haft endlich freikommt? Er will nur eins: zurück nach Deutschland, wo alles gut werden kann, wo das alles, die ganze Pein, die ganze Tortur ein Ende haben wird. Aber er bekommt keinen Pass. Er kann machen, was er will, er bekommt keinen Pass und hat keine Möglichkeit zur Rückkehr. Ausreiseverbot. Muss in der Türkei bleiben. Gefangen in einem Land, mit dem er nichts zu schaffen hat. Ein Land, aus dem seine Eltern kommen, das ist alles. Ich weiß nichts.

Ich war länger als nötig im Internetcafé, die Räume waren klimatisiert. Ich habe Bilder gefunden. Ich hatte es vermutet: Warzen. Wahrscheinlich Stachelwarzen, ›zuerst stecknadel- bis erbsengroße, harte und sich vorwölbende Knötchen, die später verhornen und sich auch beetartig auf der Haut vermehren können. Eine Ausgangswarze ist dann von mehreren kleinen Tochterwarzen umgeben. Sie treten vor allem an Händen, Fingern, Nagelrändern und Fußsohlen auf. Behandlungsmethoden: chirurgische Entfernung, Vereisung, Gewebezerstörung durch Ätzmittel oder Strom, Stimulation des Immunsystems.‹ Und Hausmittel, Rituale, okkulte Behandlungen, gerade bei Warzen. Im Onlinelexikon steht, dass die Behandlungserfolge fast gleich sind.

Ich werde ihm seine Warzen abheilen, während er schläft. Das ist der beste Zeitpunkt. Er wird gesund sein, bald, und auch seine Finger werden gesund sein. Zur Behandlung werden Löwenzahn und Knoblauch empfohlen. Also gehe ich raus, suche Löwenzahn, der selten ist, viel seltener als zu Hause. Als ich zurückkomme, bestreiche ich seine Nagelränder mit dem dicken, weißen Saft des Stieles und mache mich gleich wieder auf den Weg. Ich kaufe Knoblauch und Pflaster. Morgen früh werde ich seine Finger bandagieren, heute Nacht noch einmal Löwenzahn. Ich habe zu tun. Ich laufe, suche, Blick auf den Boden, es ist mir egal, was die Leute von mir denken, mit meinem kleinen, gelben Blumenstrauß.

Wir konnten zusammen liegen. Unsere Körper haben zueinander gepasst wie Teile eines Puzzles. Wenn wir bei Lina waren, hat sie laute Musik angemacht und wir haben uns in langsamen Drehungen über ihren Fußboden gerollt, haben geknutscht und uns ausgezogen. Irgendwann hatten wir die beste Stelle gefunden und sind jedes Mal in einer anderen, neu erfundenen Position liegen geblieben. Die Körper ineinander verschlungen, aneinander angedockt, das konnten wir: aneinander schlafen.

Mein Vater konnte sich merkwürdigerweise sehr lange Linas Namen nicht merken und nannte sie immer nur: *dein Mädchen*. Das gefiel mir. Dein Mädchen.

Als ich den Raum betrete, rieche ich den süßlichen Duft seiner Krankheit. Die gelbe Flüssigkeit, die aus seinem Darm läuft, ist fast geruchlos, aber sein Schweiß, der immer und immer wieder die Decken tränkt, riecht süßlich. Samuel zittert unter seiner Decke. Es ist heiß. Ich leere den Eimer, in den er sich erbricht, wenn er es schafft. Dann wische ich die Kotze vom Boden auf. Ich lasse warmes Wasser in die Schale fließen, stelle sie neben seinem Kopf ab, wringe den Lappen aus und hebe die klamme Decke von seinem Oberkörper. In den erprobten Bewegungen, in einem rhythmischen Streichen, das mich selbst beruhigt, wasche ich seinen Leib. Nur um ihm zu zeigen, dass ich wieder da bin, dass ich bleibe, um ihm eine mögliche Sorge zu nehmen. Ich fühle mich gut in meiner Fürsorge. Mir gefällt meine mütterliche Zuverlässigkeit. Wir haben uns gestritten, wir waren böse, ich hatte Angst, wir hätten uns vielleicht gar verloren, Samuel würde aufgehen hier und ich könnte nicht länger bei ihm sein, wir wären nicht länger miteinander, aber jetzt bin ich es, der bei ihm ist, beständig, fest und zuverlässig, der sich um seinen ausgelieferten Körper kümmert, der pflegt und streichelt, fraglos und selbstverständlich. Ich fühle mich ihm so nah in diesem Augenblick wie ewig nicht und senke meinen Kopf an seine verschwitzte Schläfe hinab, bis meine Stirn sie leicht berührt, drucklos, aber spürbar, lege meine Lippe auf sein Ohr, die zweite dazu. »Samuel«, sage ich, »ich habe Cola und Salzstangen«. Er brummt etwas, das keine Antwort ist. Er fühlt, dass ich bei ihm bin, denke ich, und ziehe mein T-Shirt über den Kopf. »Willst du was trinken«, flüstere ich vorsichtig in sein Ohr, »einen Schluck Cola, oder eine Salzstange vielleicht?« Wieder brummt er, ich halte seinen Arm. »Dann schlaf gut«, sage ich und ziehe auch meine Hose aus. Ich krieche zu ihm unter die Decke, die verschwitzte, umarme seinen armen, kranken Körper. Ich sollte ihm Schutz bieten, mit meiner Kraft. Ich drücke mich an ihn, stelle mir vor, ich könne Hilfe leisten, Kraft spenden, als könnten unsere Körper kommunizieren, als wäre Stärke austauschbar wie ein Gedanke. Ich möchte ihm etwas schenken, etwas geben, das ihm hilft. Ich denke: Buße. Ich möchte Buße tun. Ein Zittern läuft durch seinen Körper. Ich presse mein Ohr auf seinen Rücken und höre das durch die Knochen seines Rückgrats verlängerte Klappern seiner Zähne, ein kurzer alptraumhafter Schauer. Ich wünschte ich könnte ihn gesund machen. Ich befühle seinen Körper, taste nach Veränderungen. Er ist dürr und klapprig, seine Glieder sind eng an den Torso gepresst, er ist wie in sich selbst verwickelt, wie um sich kleiner zu machen, keine Angriffsfläche zu bieten. Ich rieche an seinem Nacken, atme seine fettigen, verschwitzen Haare. Ich werde sie ihm waschen, später, und beginne, seinen Nacken zu kraulen, vorsichtig und sanft. Nicht zu lange, denke ich, nicht zu lange die überempfindliche Haut reizen.

Als ich wieder aufwache, hat Samuel sich gedreht, sein Gesicht liegt vor meiner weißen Brust, die Hände hat er vor der eigenen gefaltet. Seine Augen sind nicht ganz geschlossen, obwohl er schläft oder wenigstens tief in sich versunken scheint. Den Nacken überstreckt, den Mund geöffnet, liegt er da, ich streichle sein Gesicht, fühle den Atem auf meinem Brustbein. Liege nur da und sehe ihn an. Ich hoffe, er wird sich erinnern können an mich und an sich und an diese Tage. Dass ich bei ihm war. Dass ich ihn nicht im Stich gelassen habe.

Samuel war noch nicht sechzehn. Schon Wochen vorher hatte er mir von seinem Plan erzählt, mir auch gesagt, dass er dabei war, alles aufzuschreiben, um es meinen Eltern zu präsentieren. Als er dann soweit war, hatte er einen richtigen Termin mit meinen Eltern gemacht. Hatte sich vorbereitet, zumindest wirkte sein Vortrag so, als habe er ihn daheim vor einem Spiegel geübt, sich seine besten Sachen angezogen und die Haare gescheitelt. Das alles natürlich kalkuliert in seiner Ärmlichkeit. Samuel hatte schnell begriffen, wie er meine Eltern rühren konnte. Er saß unruhig am Kopfende des Küchentisches und erklärte ihnen sein Vorhaben. Wir hatten vor einigen Wochen in einem Schrebergarten in der Weststadt eine freie Laube entdeckt, die zum Verkauf stand. Ein kleiner, spießig angelegter Garten, darauf eine etwas heruntergekommene Holzhütte und ein kleiner Geräteschuppen. Das Grundstück lag am Kanal, auf dessen anderer Seite sich das Industrieviertel erstreckte, direkt gegenüber der Schokoladenfabrik. Samuel war sofort Feuer und Flamme gewesen. Tausendzweihundert Euro sollte die Hütte kosten, knapp zweihundert Euro Pacht pro Jahr für das Grundstück. Er saß am Kopfende unseres Küchentisches und redete sich in Wallung, gestikulierte wild, rang um die richtigen Worte und meine Eltern, gerührt und andächtig, saßen da und hörten ihm zu, lauschten seiner leidenschaftlichen Darbietung. Was waren denn schon tausendzweihundert Euro für sie? Sie mögen seine Bescheidenheit, seine Genügsamkeit, das wenige, das er zum Glück zu brauchen scheint. Ein Schrebergarten für den Pennersohn kam ihnen vor wie ein Beutel Murmeln für ein Negerkind im Urwald. Meine Eltern, ich bin mir sicher, waren derart gerührt von Samuel, dass sie ihm das Geld am liebsten bar und sofort gegeben und geschenkt hätten. Nur ihre pädagogische Weitsicht hielt sie davon ab, ließ sie um Bedenkzeit bitten und erst nach einigen Tagen zustimmen. Und sie unterschrieben die Verträge, die Samuel in seiner krakeligen Schrift vorbereitet hatte. Nicht, weil sie sie für notwendig hielten, natürlich nicht, sondern einzig und allein, weil sie ihm auf Augenhöhe begegnen wollten, weil sie sein Bemühen ernst nehmen, sein Verhalten gutheißen und keinesfalls entwerten wollten. Und für einige Monate beschäftigten sie ihn immer wieder mit kleinen Aufgaben und Arbeiten, ließen ihn den Rasen mähen, die Hecke schneiden, das Auto waschen, den Keller entrümpeln. Korrekt, wie sie sind, notierten sie sich seine Arbeitsstunden großzügig in ein kleines Heftchen. Um meine Eltern zu ärgern, nannte ich Samuel Gastarbeiterkind. »Kann das nicht das Gastarbeiterkind machen?« oder »Mama, hier ist wieder der freundliche Gastarbeiterjunge für dich an der Tür!« Aber meine Eltern beschlossen, meine Bemerkungen einfach witzig zu finden. Sie machten mit und lachten, als würde ich sie unterhalten wollen. Und als Samuel und ich nach dem Abendessen aufstanden und noch einmal in den Schrebergarten fahren wollten, lachten sie und sagten: »Geht's zurück nach Istanbul?«, gaben unserem Garten einfach einen Namen, nebenbei und wir merkten es kaum. Samuel nickte und sagte »Stambul«, vielleicht weil er glaubte, so würde ein Türke Istanbul aussprechen. Wir fuhren los und sie sagten, »güle, güle.« So sind sie. Nett, freundlich und immer siegreich. Ein paar Tage später saß ich da und bepinselte den Fetzen Stoff mit rotem Holzlack.

»Bubu, was würdest du gern mal machen?«

Ich hab ihn das mindestens fünfzig Mal gefragt. Aber er hat immer absichtlich Unsinn geredet. Immer so Zeug von Nutten oder Autos. Schwachsinn. Ich habe Samuel gefragt, ob Bubu sein Geld für Nutten ausgeben würde. Aber das passt so gar nicht zu ihm. Ich glaube nicht, dass sein Körper überhaupt noch so gut funktioniert. Dem hat er längst die Empfindungen ausgetrieben. Er benutzt ihn mehr wie eine Maschine, die auf die unterschiedlichen Kraftstoffe reagiert, die man ihr zuführt. Ich glaube ihm nicht. Einmal hat er mir von Mallorca erzählt und wie er es sich da vorstellt. Ich hab ihn gefragt, was er machen würde, wenn er einen Wunsch frei hätte und Bubu meinte: »Ab nach Mallorca. Den ganzen Scheiß hier lassen, das schlechte Wetter und da drüben in der Sonne Penner sein«. Ich habe ihn gefragt, was er dann mit Moppel machen würde. »Hierlassen, den Schwachkopf, der nervt mich eh den ganzen Tag,« meinte er und lachte kurz und grunzig.

Seitdem bin ich sicher, dass er spart.

[Die Frau auf dem Bild ist Irene. Nicht wiederzuerkennen, so schön, ganz fremd. Das ist es, was ich jedes Mal denke, wenn ich sie sehe auf dem Foto: Es hat keine Anzeichen gegeben für das, was später kam.]

Ich schneide den Knoblauch in kleine, flache Scheiben und lege sie auf die schwarzen Punkte um seine Nägel. Dann wickle ich ein Pflaster darum, spanne es fest. Ich verarzte meinen Freund, der liegt und schläft und es gar nicht mitbekommt, wie ich seine Finger heile. Im Internet stand, dass Warzen keine körperliche Bedrohung darstellen, aber eine seelische. Geheimnisvolle Herkunft, einschlägige Symbolik. Eine Warze drängt als unansehnlicher Auswuchs aus dem eigenen Innern herauf. Die Behandlungsmethoden, von denen ich gelesen habe, sind magisch. Warzen werden weggehext, weggebetet, durch Zaubersprüche, Handauflegen oder seltsame Rituale entschärft. Auf einer Esoterikseite habe ich gelesen: Warzen konfrontieren mit den eigenen dunklen Seiten, weshalb sie auch so gut auf entsprechende okkulte Behandlungen ansprechen.

Ich muss lachen. »Simsalabim – und es geschah«, sage ich laut in sein Gesicht, aber ich rede mit mir selbst. »Samuel, wir heilen deine dunkle Seite mit Knoblauch!«

In der Nacht, nach der ich mit Lina Schluss gemacht habe, kann ich nicht schlafen. Ich versuche nicht zu grübeln und spiele Zahlenspiele, um mich abzulenken und nicht die immergleichen Bilder vor Augen zu haben. Es nützt wenig. Noch vor Sonnenaufgang stehe ich auf, ziehe meine Sachen an und gehe runter in die Küche. Ich mache Kaffee, beim Gedanken an Essen wird mir schlecht. Ich laufe auf und ab in der hübschen Holzküche meiner Eltern, auf den selbst gestrichenen weißen Dielen. Dann ziehe ich eine Jacke an und gehe hinaus. Die ganze Nacht laufe ich durch die Straßen, biege um Ecken, als würde es etwas nützen. Da ist nichts. Langsam dämmert der Morgen auf, zwitschern die Vögel, erwachen die Fenster, fahren die ersten Autos an mir vorüber. Weiter draußen wo die Stadt langsam ausfranst und sich in Felder auflöst, setze ich mich auf eine Bank. Einfamilienhäuser, Drogerien, Getränkehändler, Autohäuser an der Bundesstraße. Vielleicht sollte ich mich bei Samuel melden, wahrscheinlich nicht. Ich schließe die Augen, fühle die Risse im Lack der Bank und dass meine Füße kalt werden.

Langsam legt sich Licht auf die Straße vor mir, ab und zu ein Auto, es werden immer mehr. Drüben auf der anderen Seite öffnen die Geschäfte. Das alles hier geht mich nichts an. Ich fühle mich taub und stumpf, wenn ich die Bilder der letzten beiden Tage in mir ausbreite. Ich sehe Lina, wie sie auf dem Bett vor mir liegt und nichts ahnt. Wie ich ihre Schulterblätter berühre und sich die Menschen in ihrem Fernseher streiten. Ich sehe Irenes Kopf in halber Höhe vor mir, sehe deutlich ihre rote Kopfhaut durch das speckige braune Haar schimmern und wie ihr Kopf wieder und wieder gegen meinen Unterleib schlägt; ich habe Bildfetzen, ungenaue Abdrücke ihrer Schenkel und ihrer Hüfte vor mir. Ich weiß, dass ich nur kurz hingesehen habe, dass ich die meiste Zeit an ihr vorbei auf den Stromkasten hinter ihr gesehen habe. Ich hab mich nicht getraut, sie wirklich anzusehen, nur die nötigsten Blicke, um nicht rauszurutschen, um die dringendste Neugierde zu befriedigen. Ich sehe die dunklen Haare um die rote Mitte ihrer Beine und den Metallkasten, auf dem sie liegt und schnauft, ich höre den dröhnenden Bass der Rummelbuden. Ich sehe Samuel, wie er plötzlich zwischen den Wagen steht, kann sogar den Schwenk erinnern, in dem ich mich von ihm abwende: wie mein Blick über die Müllcontainer gleitet und zu meinen Händen, die meinen geschwollenen Schwanz eilig in die Hose pressen; wie ich kurz zu Irene gucke, ihren offenen Mund sehe, den gesenkten Kopf; wie wir beide da stehen, und nicht wagen, uns zu drehen; der Lärm der Buden. Ich weiß, ich hatte ein Hämmern unter den Rippen, ein Wummern, das mir bis in den Schädel stieg, eine richtungslose, heftige Angst. Aber davon ist nichts geblieben.

Ich weiß, was ich fühlen müsste. Ich habe eine klare Vorstellung, aber was ich tatsächlich fühle, ist ein dumpfer Brei und nicht mehr. Schwer und unverständlich, ich kann nichts damit anfangen. Ich weine mit offenem Mund, schluchze, meine Nase läuft. Das ist Verzweiflung, denke ich und stehe auf. Im Laufen wische ich mein nasses Gesicht mit dem Jackenärmel trocken. Er riecht muffig. Mir fällt Bubu ein und wie angenehm egal die Welt sein kann, wenn man es versteht, sich einzuwatten. In einem Kiosk trinke ich einen Kaffee im Stehen. Meine Füße sind immer noch kalt. Ich frage mich, ob ich Samuel davon werde erzählen müssen, ob er verlangen wird, dass ich ihm erkläre, wie alles passiert ist. Gerade wünsche ich mir, ihm davon zu erzählen.

Auf dem Parkplatz von einem Möbelhaus sehe ich einem Flaschensammler zu. Bubu hat erzählt, dass er sich geschämt hat, als er irgendwann damit angefangen hat. Das sei eine Überwindung gewesen, sei es manchmal jetzt noch, wenn Kinder gucken. Inzwischen sammelt jeder Rentner, jeder Müllmann und andere auch, normale Leute, obwohl sie Arbeit haben, nach Feierabend auf dem Weg nach Hause. Pfennigfüchse, nannte Bubu die, dabei ist er selbst der geizigste Mensch, den man sich denken kann. »Die Anfänger«, meinte er, »erkennt man daran, dass sie kein Revier haben, dass sie ohne Plan sammeln, die lassen sich durch die Gegend treiben«. Draußen vor dem Supermarkt mit Flaschenautomaten stand er und blies die verbeulten Dosen und Flaschen auf, damit der Laser den Barcode lesen konnte.

Ich denke an Irene und unseren letzten Blick. Wie ich mich wortlos weggedreht habe und Samuel nachgelaufen bin. Samuel hatte uns mit seinem bloßen Blick geteilt, wie zwei fickende Hunde, die man auseinander reißt und wieder anleint. Ich bin ihm nachgelaufen, habe mich eilig durch die vielen Leute gedrückt, durch die dummen roten Gesichter, die vielen Leiber, ihn immer im Blick, wollte ihn anfassen und stoppen, aber ohne Mut, Angst vor seinem Blick, davor, er könne, sobald ich ihn berührte, herumfahren und mir mit aller Wucht ins Gesicht schlagen, mit der Faust.

Und plötzlich weiß ich, dass ich Irene sehen will, nur sehen, von Weitem. Ich will nicht mit ihr sprechen, sie vor allem nicht berühren, ich will sie nur sehen. Herausfinden, ob alles okay ist. Auch wenn das Unsinn ist. Ich laufe lange, es ist schon nach Mittag, als ich die Innenstadt erreiche. Ich laufe die Straßen auf und ab, rund um den Pennerplatz vor dem Supermarkt. Es ist heikel, sie darf mich nicht sehen und erst recht darf Samuel mich nicht sehen. Er hat mich schon früher einmal erwischt, er ist oft hier und kontrolliert, ob alles in Ordnung ist, passt auf und guckt, wer guckt. Aber ich muss hin. Ich muss. Ich biege um die Ecke auf den Platz und sehe unscharf die Gestalten vor dem Supermarkt. Ich erkenne eine Frau. Zwischen einigen Leuten schleiche ich näher, immer einen Blick über die Schulter. Ich schaue zwischen zwei Rücken vor mir hindurch. Irene sitzt auf der Bank und ein leichter Rauchfaden löst sich über ihrem Kopf auf. Ich sehe ihr Gesicht nicht. Ich muss an ihre raue Stimme denken, daran, dass sie immer heiser ist, obwohl sie wenig redet, zumindest mit anderen. Mit sich selbst redet sie mehr, halblaut in sich hinein. Als müsste sie ihre Worte verstecken. Ihr Mund ist ein Trichter, der die Worte nach innen leitet. Warum muss ich immer wieder an ihren Mund denken. Ich bin froh, dass sie mit dem Rücken zu mir sitzt, so muss ich keine Sorge haben, dass sie mich zufällig in der Masse erkennt. So kann ich mich langsam und vorsichtig anschleichen, bis ich ihr Gesicht im Profil erkennen und sehen kann, wie sie immer wieder eine Flasche zum Mund hebt oder die Zigarette. Mit ihrem Auge stimmt was nicht. Es sieht geschwollen aus, blau umrandet. Ich komme näher und erkenne eine aufgeplatzte Lippe, eine Schürfwunde auf der Wange, das eine Auge dick angeschwollen, ein dunkelblauer Schatten. Sie sieht zerschlagen aus. Ich denke: Samuel. Und kann es im gleichen Moment nicht glauben. Ob er sie geschlagen hat? Vielleicht war es auch ein Unfall, vielleicht ein Überfall oder eine besoffene Prügelei, das kommt hier manchmal vor. Manchmal flippen die Penner aus. Dann stelle ich mir Samuel vor, wie er mit abwesendem Blick, winzigen Nasenlöchern und harten Lippen immer wieder auf Irene einschlägt, die sich nicht wehrt, nur mit den Armen über dem Kopf daliegt, nicht schreit. Ich möchte, dass Irene ihren Kopf auf meinen Schoß legt. Ich möchte sie streicheln, für sie da sein, nur ganz kurz.

Ich kann Samuel nicht fragen, das ist sicher. Ich kann nicht fragen, was mit Irene passiert ist. Ich habe das Recht verloren, ihn alles, ohne Einschränkung alles fragen zu können.

Sobald Samuel die Zusage meiner Eltern hatte, machte er einen Termin mit den Besitzern der Datsche aus. Wir besichtigten zusammen das Grundstück und die Hütte. Das Geld, das meine Eltern investiert hatten, war vermutlich eine ihrer besten Investitionen überhaupt. Denn der Pennersohn bewies, dass er es wert war und er bewies die Richtigkeit ihrer Pädagogenlogik. Sie konnten sich gut fühlen auf ihrer ewig richtigen Seite. Wer ständig nur Gutes tut, was lässt der den Menschen um sich herum eigentlich anderes, als zu versagen? Was ist das für eine Haltung, nur gut zu sein und immer richtig zu liegen? Man kann meine Eltern gar nicht lieben, man kann sie nur bewundern. Irene dagegen ist bestimmt alles andere als vollkommen, und manches an ihr ist unerträglich, aber man kann sie greifen, begreifen. Man kann sie lieben.

Samuel und ich verbrachten die gesamten Herbstferien damit, die hässlichen Steinplatten aus dem Garten zu reißen, das muffige Inventar der Hütte nach draußen und auf den Sperrmüll zu karren, einen kleinen Steg zu bauen, die Beete umzugraben, das Dach zu flicken, die Hütte neu zu streichen, weiß mit blauen Fensterrahmen, Knöterich, Wein und Efeu zu pflanzen. Wir zimmerten aus von Baustellen geklautem Holz ein Bettgestell, Regale für drinnen, eine rudimentäre Bank für draußen, aus Steinen und etwas Beton und einem alten Metallrohr kleisterten wir einen kleinen Ofen zurecht, der draußen unter einer kleinen Birke direkt vor dem Steg stand. Wir wollten Brot backen, Fische braten, Fleisch grillen. Wir pflanzten Weiden hinter die Hecken, die das Grundstück begrenzten und rechneten aus, wie lange es dauern würde, bis wir komplett geschützt sein würden gegen die Blicke der anderen Gärtner. Im Frühling würden wir Mohn sähen und Wildblumen, einen Kompost anlegen. Samuel wollte sogar ein paar Hühner halten, was aber die Kleingartenordnung verbot. Abends machte er Baupläne, wollte eine zweite Ebene in die Hütte ziehen, damit man oben würde schlafen können. Wir isolierten die Wände neu, verkleideten sie mit Rigipsplatten, die wir mit alten Zeitungen tapezierten und mit einem warmen Gelb übermalten. In der ersten Nacht in unserer Hütte hatten wir ein kleines Festmahl zubereitet, das wir auf dem Boden zu uns nahmen: Säfte, Baguette und Quark, Käse, Wurst und die verschiedensten Soßen, wir hatten Eis und Schokolade, Salate, Nüsse, Kuchen, einfach alles. Ich hatte Gras besorgt und wir kifften zum ersten Mal. Wir, sowas von wir. Dieser Abend und wir beide hier. Aus dem kleinen Kassettenspieler dudelten die alten Kassetten meines Vaters, die wir im Keller gefunden hatten, Leonard Cohen, Bob Dylan. Später krochen wir lachend und vollgefressen und vollkommen breit in unseren Schlafsäcken hinaus in den Garten und glotzten in den klaren Herbsthimmel.

Samuels Vater. Wenn man sich das mal vorstellt: siebenundzwanzig Jahre alt und plötzlich herausgeworfen aus dem eigenen Leben. Keine Chance zur Rückkehr. Wie geht man mit sowas um? Immerhin: mit seiner Qualifikation sollte Osman leicht Arbeit finden. Wie viele Türken gibt es in Istanbul, die perfekt Deutsch sprechen, wirklich perfekt, Deutsch studiert haben. Er könnte übersetzen, auch schriftlich, Delegationen führen, unterrichten. Ein Problem: wann immer und wo immer er Arbeit findet, verliert er den Job umgehend, sobald sein Leumundszeugnis eintrifft. Ich habe gelesen, dass Militärvergehen schwerwiegende Vergehen sind, besonders in der Türkei, und dass sie lebenslang verzeichnet bleiben.

»Ich frage mich ja«, meinte Samuel mal, da waren wir noch in Deutschland, »ob er da drüben eine neue Familie gegründet hat. Ich meine: er hatte ja schon zwei hier in Deutschland. Glaubst du, dass er immer noch hofft, wieder hier herzukommen? Ich glaube, die haben ihn fertig gemacht. Die haben ihm sein Gesicht zerschlagen, mindestens, und lassen ihn nicht mehr raus. Wahrscheinlich ist mein Vater so einer. Einer, den man brechen muss.«

Es hat drei Tage gedauert. Drei Tage nach meinem Geburtstag und dem ganzen Vorfall haben wir uns hier getroffen, zufällig, ohne Verabredung, in Stambul. Auf einmal ist er wieder hier, steht vor mir in unserem Garten: Ich koche uns Nudeln, damit ich etwas zu tun habe. Ich bringe das Essen raus zu Samuel, der am Ufer sitzt und auf das alberne Bild gegenüber auf der Klinkerwand guckt. Er stand urplötzlich und ohne jede Vorankündigung vor mir in der Tür und nickte mir zu. Ich hab mich erschreckt, bin richtig zusammengezuckt und hab verlegen gelacht. Ich balanciere das Essen vor mir her und setze mich zu ihm. Sein Blick ist irgendwie sanft, aber das heißt nichts bei ihm, man kann in seinen Blicken nichts lesen. Ich gebe ihm eine Gabel und wir essen aus der Pfanne. Wenigstens keine Vorwürfe, wenigstens kein Streit.

»Was machst du jetzt mit ihr?«, fragt Samuel.

»Mit wem?«, frage ich, zu schnell, zu unvorsichtig.

»Lina.«

»War schon bei ihr«, sage ich.

»Und?«

Ich zucke die Schultern. »Hat nur ein paar Minuten gedauert, bin dann wieder gegangen.«

»Hast es ihr gesagt?«

Wir sehen uns nicht an, sondern auf unser Essen oder auf den Kanal, überall hin, nur nicht in die Augen.

»Ich will sie nicht mehr sehen. Das hab ich ihr gesagt.«

»Mh. Warum?«

»Weiß nicht. Ist vorbei jetzt, irgendwie.«

»Deshalb?«

»Nee, weiß nicht, einfach so auch. Die Zeit hier ist einfach vorbei.«

Er fasst seine Gabel am äußersten Ende mit Daumen und Zeigefinger, wippt sie hin und her, blickt vor sich hin. Ich möchte wissen, was er denkt. Ich frage nicht, ich traue mich nicht. Ich brauche eine Ewigkeit, bis mir Worte einfallen, die ich überhaupt noch aussprechen kann: »Ich«, sage ich. »Ich wollte dich fragen, was wir jetzt machen.« Er lacht und nickt, als wüsste er etwas, von dem ich noch nichts ahne. »Ich meine: Geht's jetzt los? Hauen wir ab, zusammen? Hauen wir hier einfach ab, nach Istanbul? Kratzen wir alles Geld zusammen und hauen wir ab!« Ein Lächeln in seinem Gesicht, ein Zögern, er sieht vom Boden zu mir, hin und her, er nickt und ich nicke mit. Wir nicken in einem kleinen Rhythmus, essen dampfende Nudeln. Ich bin erleichtert. Ich hatte Angst gehabt, er könne mir den Mittelfinger zeigen und mich auslachen.

»Hätt ich Bock, auf jeden Fall«, sagt er.

Ich war immer der Zögerliche gewesen, er hat ja immer schon, seit zwei Jahren bestimmt, von Istanbul gefaselt und dass wir nach dem Abitur gleich rüber sollten und dort gucken, suchen, neu anfangen. *Jaja,* war immer meine Antwort gewesen, *jaja* und ein etwas verächtliches Lächeln. Was sollten wir da drüben, ich fand, es war einer seiner typischen kitschigen Einfälle. Sein Identitätsquatsch. Aber jetzt geht es um uns. Jetzt habe ich ihn gefragt. Übermorgen ist Zeugnisvergabe.

»Auf den bekackten Abiball scheißen wir«, sage ich und lehne mich zurück.

»Auf den bekackten Abiball scheißen wir so richtig«, sagt Samuel.

Einmal am Tag setze ich mich zu ihm und spreche mit ihm, stoße ihn an, versuche, ihn aus seinen Träumen, diesem komatösen Schlaf zu reißen, seinen Geist zurückzuholen, weil ich Angst habe, dass er abgleitet und den Weg nicht mehr zurückfindet. Ich verlange von ihm, dass er die Augen öffnet, dass er sich aufsetzt, dass er eine Tasse in die Hand nimmt und sie austrinkt, im Sitzen. Ich möchte, dass sein Körper einmal am Tag den Puls erhöht, nicht vergisst, dass es neben dem Liegen noch andere Zustände gibt. Wenn er sitzt, erzähle ich von mir, von meinem Tag oder einem Traum und frage ihn, wie es ihm geht, wie er sich fühlt, er soll mir einen Traum erzählen, aber Samuel ist so schwach, dass ihm nur einzelne Worte aus dem Mund fallen. Nur heute, heute ist alles ein wenig anders. Er lässt sich nicht überreden sich aufzusetzen, wehrt sich trotzig, was den gleichen Effekt hat, den ich ja nur wünsche, dass er in meine Welt zurückkehrt, dass sein Kreislauf sich aufschwingt.

»Was ist, Samo?«, frage ich.

»Du.«

»Was ist denn?«

»Lass mich.«

»Was ist los?«

»Du.«

»Du. Du.« Ich stoße ihn sanft in die Seite. »Was soll das heißen: Du?« Und freue mich, dass da so etwas in Gang zu kommen scheint wie eine Unterhaltung. Sein Körper schlackert abwehrend, kraftlos.

»Mit deinem Schwanz.«

Ich muss leise lachen.

»Was sagst du?«

»Mit deinem Schwanz.«

»Samo, wovon redest du?«

Und plötzlich, in einer ruckartigen Bewegung fährt er herum und sieht mich mit aufgerissenen Augen an. Plötzlich redet er laut und klar, sein Blick ist fest, so als sei er nicht krank und schwach, sondern voller Energie und wie in einem

Rausch: »Von deinem Schwanz rede ich. Von deinem Schwanz, mit dem du alles kaputt gemacht hast. Das habe ich begriffen. Du redest immer nur und eigentlich bin ich dir gar nichts wert, sonst hättest du überlegt und nachgedacht, aber du denkst nur an dich. Du bist nur ein Schwanz, ein dummer, alter Schwanz.«

Seine Augen liegen fest auf mir, sein Atem ist flach und kurz, es rasselt irgendwo in ihm. Dann weicht der Ausdruck aus seinem Gesicht, verlässt die Spannung seinen Körper, krümmt Samuel sich zurück. Langsam fällt er zurück in seine Krankheitshaltung, fällt der Kopf in den Nacken, ziehen sich die Beine zum Körper, öffnet und entkrampft sich der Mund. Sein Blick verliert sich irgendwo hinter mir, die Lider sacken in einer gleichförmigen, langsamen Bewegung nach unten. Er taucht zurück in die Krankheit, man kann ihm dabei zusehen.

»Samuel«, sage ich. Er antwortet nicht. »Samuel«, sage ich noch einmal und stupse ihn an. Keine Regung, er ist wieder verschwunden im Durcheinander seines Körpers. Ich sitze und sehe ihn an, sehe mich in ihm und fühle mich einsam. Ich weiß nicht, was ich hier tue, was ich noch tun soll. Ich denke an zu Hause, an meine Eltern, an mein Zimmer, an Supermärkte und Menschen, an Menschen, die keine Fremden sind. An Abende vor dem Fernseher, an Computer, Partys, Discos, an mein Bett, an den Duft von frisch gewaschener Kleidung. Ich möchte zurück, ich möchte hier nicht sein, ich möchte endlich weg und in mein bequemes Leben. Ich setze mich auf mein Bett und zähle das Geld, weil das Geld das entscheidende Argument sein wird.

Es ist schon hell, als mich der Muezzin aus dem Schlaf reißt. Über mir schnurrt leise der Ventilator, ich fühle Samuels

Atem, der noch immer zu heiß ist. Er hat sich auf sein Kissen erbrochen, liegt halb mit dem Gesicht darin. Ich drehe mich sachte und wische ihm das Gesicht sauber, tausche sein Kissen gegen meins und wasche den Bezug, hänge ihn zum Trocknen in das Fenster.

Draußen auf der Straße ist es angenehm, warm, aber noch nicht heiß. Auf dem Weg zur Apotheke sehe ich, dass neben einer Telefonzelle Löwenzahn durch den rissigen Asphalt sprießt. Ich bücke mich und pflücke ein paar Blüten für seine Räuberhände.

Ich werde nicht anrufen. Das ist beschlossene Sache. Ich rufe nicht an, obwohl es in mir kitzelt. Ich möchte meine Mutter fragen, wie Irenes Gesicht ausgesehen hat, möchte wissen, ob alles gut verheilt ist, was sie erzählt, wie sie redet, was sie vorhat. Ich rufe nicht an. Es geht mich nichts an.

[Auf dem Foto ist Irene eine, mit der man ohne zu fragen mitgehen würde, wenn sie einen ließe. Man möchte wissen, wo sie wohnt und wie es dort aussieht und was sie dort macht. Ich möchte alles wissen und warum alles anders gekommen ist.]

»Komm, gehen wir Abendessen«, hatte Bubu gesagt. Im Supermarkt drückte ich meinen Daumen durch die Plastikfolie und griff mir eine Bockwurst. Bubu schob mit seinem Zeigefinger Fleischsalat aus der Plastikdose in seinen Mund. Ich musste lachen, wie er den Kopf im Nacken hatte und mit seinem zerpflückten Haar sah er aus wie ein hungriges Küken in der Mauser.

»Bubu, was machst du eigentlich mit der Kohle, die du kriegst?«

»Nee, hab keine Kohle.«

»Stütze, mein ich«, ich kaute, angelte noch eine Wurst aus der Packung und legte die Packung zurück.

»Weiß ich nicht.«

»Wie, weißt du nicht?«

»Das is ja nichts, was man da kriegt.«

»Aber das gibste doch nicht aus, oder? Ich hab dich noch nie was bezahlen sehen.«

»Ja, muss man ja auch nicht, braucht man ja nicht. Bezahlen. Hab ich lange nicht gemacht. Da war ich noch jung«, er lachte, »als ich noch bezahlt hab.«

Bestimmt hat Bubu ein Konto bei irgendeiner Bank, auch wenn ich mir immer vorstelle, dass er sein Geld irgendwo verbuddelt. In einer kleinen Metallkiste unter einem Fliederstrauch. Bubu mit Spaten und Erde an den Händen passt besser als Bubu in der Bank.

»Sagst du nicht, ne? Rückste nich raus.«

Bubu grinst und hält mir den Fleischsalat hin.

»Is gut!« sagt er.

Wahrscheinlich hatte ich sie schon hundertmal gesehen. Aber das erste Mal wirklich aufgefallen ist Lina mir erst, als ich sie im letzten Sommer auf dem Hof unserer Schule liegen sah. Es gefiel mir auf Anhieb, wie sie da in der Sonne lag, auf eine sympathische und durchaus komische Art uneitel, was ihr sonst eigentlich eher fremd ist: uneitel zu sein. An diesem Tag aber lag sie da, das kleine, zarte Mädchen, und hielt ihren kugelrund gefutterten Bauch schnaufend in die Sonne, die Beine breit von sich weg gestreckt. Um sie herum saß eine Bande von nervigen Mitschülern. Laute, schnatterige Menschen, die mir, als ich Lina so liegen sah, vorkamen wie welche, die kein Gespür für den Moment haben.

Ich glotzte auf ihren Bauch, und erst, als Lina die Augen aufmachte und mich groß und ruhig und komplett selbstverständlich anguckte, fiel mir auf, dass ich direkt neben ihr stand.

Lina hörte nicht auf, ihren Bauch mit herzzerreißend zärtlichen kleinen Kreisen zu streicheln. Auf Anhieb wollte ich ihr Bauch sein und mit ihr in der Sonne liegen und von dieser winzigkleinen Hand mit Kreisen bemalt werden. Linas Augen zuckten mit Hochgeschwindigkeit über mich hin und her und schließlich hatte sie mich scheinbar ausreichend gemustert, jedenfalls schnaufte sie, schloss die Augen wieder und hauchte ein eher halbfreundliches: »Was?«

»Wieso?«, sagte ich.

»Na, weil du doch was wissen willst.«

»Wie kommst du darauf?«

»Weil du so aussiehst wie einer, der rumsteht und ständig Fragen stellt.«

»Eigentlich nur, was du gegessen hast.«

»Häh?«

»Will ich wissen.«

»Was?«

»Na, was du gegessen hast.«

Aus Lina blubberte ein herrlich sattes Lachen heraus.

»Kekse«, sagte sie.

»Und davon hast du so nen Bauch?«, fragte ich. Lina schüttelte den Kopf.

»Kekse, zerdrückt und mit einskommafünf Liter Schokoladeneiskrem vermischt«, sagte sie auf eine so selbstzufriedene Art, als hätte sie sich nicht den Wanst vollgeschlagen, sondern ihre Doktorarbeit abgegeben. Also setzte ich mich zu ihr.

Ich weiß, es ist nicht richtig, mit einer neuen Telefonkarte auf der Straße zu sein, während Samuel da oben in unserem Zimmer liegt und fiebert und kotzt. Es ist nicht gut, mich weg zu wünschen, zu Hause anzurufen. Was ich vorhabe, ist gegen alles, gegen uns. Ich sage mir, dass durch die Gewissheit, die das Telefonat bringen wird, das Kreisen der ewig gleichen Gedanken ein Ende finden könnte: Irene, ihr Mund, das zerschlagene Gesicht vor dem Supermarkt, ihre neuen Haare, ihr neuer Geruch und der einer aufgeräumten Wohnung. Und schon stehe ich in der Zelle und wähle meine Nummer und sehe mich wie von außen, höre mich reden, höre mich meine Mutter freundlich begrüßen, höre mich sie fragen, ob sie Irene noch einmal gesehen hat, was sie geredet haben. Ich sehe mich stehen und lauschen, meiner Mutter zuhören, wie ich ihr vielleicht nie zugehört habe.

»Ja«, sagt sie, »sie war noch einmal da, hat Blumen gebracht und sehr schüchtern gefragt, ob ich ihr helfen könne. Sie hatte Post bekommen, Jugendamt, Arbeitsagentur.«

»Und?«, frage ich.

»Natürlich«, sagt sie, »wir haben uns in den Garten gesetzt, die Briefe bearbeitet und uns ein bisschen unterhalten. Ich … ja, ich mag sie, es ist irgendwie schön, sie anzusehen, weißt du Janik, es ist auch so ruhig hier, seit ihr weg seid und auf einmal war da wieder jemand außer uns. Auch wenn's ein bisschen albern ist: hat mir Spaß gemacht mit ihr, auch sie nur anzusehen und die Ähnlichkeit zu Samuel in ihrem Gesicht zu suchen, in ihrer Art zu gucken. Oh, und sie hat von dir geredet«, sagt meine Mutter.

»Was?«, frage ich und das Wummern ist mit einem einzigen heftigen Schlag zurück, der Puls drückt in meinem Hals.

»Dass sie froh ist, für Samuel, dass ihr euch gefunden habt. Sie hätte es ihm ja nicht immer leicht gemacht und du, naja, hättest ihm gut getan. Ja.«

Meine Angst, sie könnte zu meinen Eltern gehen, in einem plötzlichen Anflug von Beichtwut, um reinen Tisch zu machen. Ich finde den Gedanken absolut nicht abwegig, sein Leben aufräumen zu wollen. Die Sucht zu besiegen, einen Job zu suchen, dann eben auch über Schuld zu sprechen und sie nicht alleine mit sich herumzutragen, sie offen zu legen, um einen klaren Strich zu ziehen, auch vor anderen: so war es und so soll es nie wieder sein. Ich sehe sie sitzen in unserer Küche und in einem Tee rühren, den meine liebevolle Mutter ihr gemacht hat, sehe sie schüchtern davon erzählen, von uns, von diesem einen Abend. Sie hat es nicht erzählt.

»Wie geht es euch?«, fragt meine Mutter plötzlich.

»Gut«, sage ich reflexartig und stocke: »ja, naja. Samuel ist krank.«

»Wie krank?«, fragt sie.

»Weiß nicht, krank, Magen, Darm, kotzt und schwitzt, hat Fieber.«

»Seid ihr beim Arzt gewesen?«

»Mh. Nee.«

»Warum nicht? Seid ihr verrückt, wie lange ist er schon krank?«

Ich zucke die Schultern, als könnte sie es sehen. »Paar Tage«, sage ich, »höchstens zwei Wochen.«

»Das ist nicht dein Ernst. Ihr müsst zum Arzt, seid ihr denn verrückt?«

»Er will ja nicht.«

»Ja, muss er aber.«

Istanbul wird zu meinem Spielzimmer und die Telefonzelle, in der ich stehe, ist die Tür, durch die meine Mutter zu mir hereinsieht und mir sagt, ich solle endlich ins Bett gehen und das Licht ausmachen.

»Ist gut, okay? Ich kümmer mich schon um ihn.«

»Janik, das ist kein Spaß.« Plötzlich ist sie die besorgte Klassenlehrerin, streng und fest im Ton und ich muss mich konzentrieren, nicht einfach zu tun, was sie verlangt. Diese Veränderung in ihrer Stimme, der andere Ton, der so plötzlich da ist, ist lang erprobt und lässt keinen Widerspruch zu. Ich höre ein Rascheln, ein leises Brummeln, sie hat die Hand auf die Sprechmuschel gelegt und redet. Klar, mein Vater steht neben ihr und hört zu, besorgt sicher, mit seinen ernsten, warmen Augen. Er hat eine Hand zwischen ihre Schulterblätter gelegt, ich sehe es vor mir und wie sein Daumen ihre Form nachzeichnet.

Ich lege einfach auf, sie wären immer stärker.

Kurz das Gefühl, ich würde gleichzeitig in wenigstens zwei Richtungen fahren. Gegenüber ein Straßenmusiker, der trommelt und singt. Und alle, wie sie hier stehen und laufen, die Menschen, die Hunde, die Katzen und Vögel, der alte Mann mit Mütze, die Frauen in Gruppen, die Polizisten mit der Trillerpfeife und die Kinder, die pickenden Tauben, ich möchte sie alle schlagen, auf ihnen herumspringen. Ich will sie zu Boden werfen und ihre Haut mit meinen Füßen blau treten, sie rot schürfen; schlagen, schlagen und zertreten, wahllos. Die Handkante in die Nacken der Kinder schlagen, bis das Genick bricht und den Tauben die Köpfe abdrehen.

Ich drehe mich wieder zurück in die Telefonzelle und glotze auf die Nummerntasten.

Ich wähle.

Ich lausche dem Tuten.

Es knackt, es klickt, Rauschen und die Stimme meiner Mutter.

»Hallo«, sagt sie.

»Hallo«, sage ich.

»Janik.«

»Kannst du mir bitte einen Gefallen tun«, frage ich, »es ist wichtig. Wirklich wichtig.«

»Was denn?«

»Du musst zu Irene gehen. Geh sie besuchen bitte und sieh nach ihr, sieh dir ihre Wohnung an, frag sie, wie oft sie zur Therapie geht und wie sie zurechtkommt, guck in ihren Kühlschrank, merk dir, wie es bei ihr zu Hause riecht, sieh dir das Klo an und achte auf ihre Klamotten. Hörst du?«

»Ja.«

»Weißt du«, sage ich, »ich will, ich will Samuel davon erzählen. Ich will ihm von seiner Mutter erzählen und dass es ihr besser geht, vielleicht kann ihm das jetzt helfen.«

»Ihr müsst trotzdem zum Arzt, Janik, alles andere ist vollkommen unvernünftig.«

»Frag sie …«

»Was?«

»Nichts, schon gut: geh sie besuchen, ich ruf morgen oder

übermorgen an. Ich will ihm davon erzählen, weißt du, wir können jetzt nicht weg hier.«

»Janik …«

»Ich melde mich. Danke, Mama.«

Samuel liegt und pfeift eine kleine Melodie, kraftlos, aber fröhlich, und er sieht kurz zu mir rüber und dreht sich dann um und das Pfeifen ist verschwunden. Es geht ihm besser. Er isst die Früchte, die ich ihm hinlege, er trinkt endlich genug Wasser. Ab und zu reden wir kurz, er schläft immer noch viel.

Im Taxi zum Flughafen, kurz vor unserem Abflug nach Istanbul, sagt Samuel mitten in die Stille zwischen uns: »Wir sollen auf uns aufpassen. Istanbul ist gefährlich, meinte sie heute Morgen«, er lacht, »wir sollen auf uns aufpassen.« Er redet von seiner Mutter, er redet von Irene. »Ich fasse es nicht«, sagt er, schüttelt den Kopf und sieht mich an. Ich gucke aus dem Fenster. »Ich fasse es nicht«, sagt er noch einmal: »sie hat sich die Haare gefärbt, Alter, sie hat sich die Haare rot gefärbt gestern Abend.« Er schüttelt den Kopf und lacht und haut mir vor Lachen aufs Knie. »Die spinnt. Und wir sollen gut auf uns aufpassen.«

Er hat keinem ein Wort gesagt.

Manchmal stelle ich mir vor, was passiert wäre, wenn er zu meinen Eltern gerannt wäre, an diesem Abend, und es ihnen erzählt hätte. Wenn er sich auf ihr Sofa gesetzt hätte, Tränen in den Augen und es ihnen erzählt hätte. Dass ich seine Mutter gefickt habe. Oder wenn er es Lina gesagt hätte. Was dann passiert wäre.

[Das Foto hing schon immer dort. Und wenn die Zimmertür zugedrückt wurde, dann flatterte es jedes Mal ein kleines bisschen hin und her. Seltsamerweise habe ich es nie genauer angesehen. Samuel musste erst den Finger darauf halten.]

Samuel setzt sich inzwischen von selbst auf. Er hebt die Arme in die Luft und sieht ihnen interessiert nach, als würde er die Bewegungen neu entdecken. Mit jedem Tag kehrt er ein wenig mehr zurück, kleine Unterhaltungen sind möglich. Noch ein paar Tage, denke ich, und er wird wieder normal essen können, vielleicht können wir erste Spaziergänge unternehmen. Noch immer schläft er fast den ganzen Tag, aber heute Morgen hat er ein bisschen gelacht, einfach so.

Ich habe mich mühsam durch die Stunden und die Tage geschleppt, um nicht gleich am nächsten Tag zu Hause anzurufen, musste mir immer wieder sagen: es macht keinen Sinn, sie kann noch gar nicht da gewesen sein. Ich war wach wie lange nicht während dieser beiden Tage, wach und fern, habe nur draußen gesessen, auf einer Bank oder am Ufer, Nüsse gegessen und mich nach Hause gedacht, habe Irene und ihr neues Leben deutlich vor mir gesehen und mir vorgestellt, endlich meine Mutter anzurufen und zu hören, ob es stimmt, was ich denke. Um mich zu beschäftigen, habe ich Männer mit Schnurrbart gezählt oder bin durch die Straßen gelaufen und habe die unterschiedlichen Minimalgewerbe auf einem Zettel notiert: Batterienverkäufer, Sesamkringelverkäufer, Tabakverkäufer, Fischverkäufer und Köderverkäufer, Kastanienverkäufer, Parfumverkäufer und, scheinbar ganz unten in dieser ewig langen Hierarchie, die Taschentuchverkäuferinnen.

Ich stehe wieder in der Zelle, mein Finger fliegt über die

Tasten, die Leitung gurgelt und tuckert. Ich habe in den letzten Tagen mehr Geld für Telefonkarten ausgegeben als für Essen. Wir haben ohnehin fast nichts mehr.

»Und?«

»Janik!«

»Ja, hallo!«

»Hallo! Wie geht es Samuel?«

»Gut, gut, er ist schon fast wieder gesund.« Und wirklich geht es ihm ja etwas besser, heute Morgen hat er sogar etwas gegessen. »Warst du bei ihr?«

»Ja.«

»Erzähl.«

»Ordentlich. Alles sehr ordentlich«, sagt meine Mutter und lacht, »frisch renoviert.«

»Was?«

»Ja, wirklich. Sie hat die Küche gestrichen und es riecht noch richtig nach der neuen Farbe. Und ziemlich leer alles. Ich vermute, dass sie ne ganze Menge weggeschmissen haben muss.«

»Warst du auf dem Klo?«

»Ja«, wieder lacht sie, »warum interessiert dich das so?«

»Jetzt erzähl einfach.«

»Sauber, geputzt, Zitronenduft.« Ich höre wie meine Mutter blättert und fasse es nicht, sie hat sich anscheinend Notizen gemacht. Ich sehe meine Mutter vor mir, wie sie schnell und heimlich wie ein Detektiv mit prüfendem Blick die Wohnung erfasst, die Gerüche, wie sie einen schnellen Blick in den Kühlschrank wirft. Wie sie vor Aufregung schwitzt, weil sie in meinem Auftrag in der Pennerwohnung schnüffeln darf. Live vor Ort.

»Und sie?«

»Hat erzählt, dass sie zwei Mal die Woche zur Therapie

geht. Sie war zwei Wochen stationär und will demnächst noch mal. Dann aber länger, sechs Wochen oder so, obwohl sie eigentlich, zumindest auf den ersten Blick, ja ganz gut klar kommt. Sie ist ziemlich hibbelig. Ich war vielleicht eine halbe Stunde bei ihr, wir saßen in dieser frisch gestrichenen Küche und sie ist ständig aufgestanden und hat irgendwas gemacht: Kaffee gekocht, Tassen, Tellerchen und Besteck geholt, Blumen gegossen. Und dann hat sie sich plötzlich an den Tisch gesetzt und gefragt, ob ich nicht was über euch wüsste.«

»Was hast du ihr gesagt?«

»Was ich weiß: Dass ihr immer noch in Istanbul seid und dass es euch gut geht. Nur dass Samuel eben ein bisschen krank ist.«

»Hast du das gesagt?«

»Was?«

»Ein bisschen?«

»Ja.«

»Gut.«

»Ich denke, es ist nur ein bisschen?«

»Ja. Weiter!«

»Ja, hat sie beruhigt, aber irgendwie auch nicht. Sie hat angefangen, von sich zu erzählen, ohne dass ich groß gefragt hätte. Von ihrem Alltag, was sie macht, wie sie sich bemüht, stark zu sein. Ach, das muss ja so unglaublich schwierig sein, Janik, das können wir uns gar nicht vorstellen, wenn dich sowas über so viele Jahre begleitet hat, das plötzlich abzuwerfen, die ganzen Gewohnheiten. Sie hat gesagt, dass Samuel ihr sehr fehlt.«

»Erzähl schnell, ich muss gleich auflegen!«

»Ja, und plötzlich dann, fängt sie an zu weinen, weißt du, so richtig fest und tief, sie ist dann raus und im Bad verschwunden und nach ein paar Minuten wieder zurück. Und dann sitzt sie vor mir und versucht, nicht zu weinen und erzählt davon, wie sie den ganzen Tag Acht geben muss, irgendwas zu tun zu haben, nicht in Langeweile zu verfallen, nur ja nicht nichts zu tun, jeden Tag, und wie dann manchmal dieses Verlangen kommt, so ein Ziehen, ein Loch, ein Sog. Weißt du Janik, da sitzt diese Frau vor mir, auf die ich – wenn ich ganz ehrlich bin – immer ein bisschen wütend war, so ohne sie zu kennen natürlich, nur weil ich gesehen habe, was sie Samuel … was sie bei ihm versäumt hat, verstehst du? Und dann plötzlich sitzt diese Frau vor mir …«

– es piept –

»… und kämpft mit ihren …«

– es piept –

»… Tränen und redet von ihrer …«

– es piept –

»… Sucht, diesem Kampf, dieser Verz…«

Die Verbindung reißt ab. Ich stehe und wanke und schwitze wieder in Istanbul. Ich hocke mich hin und ziehe langsam meine Schuhe aus, nehme sie in die Hand und laufe über den heißen Stein. Im Gehen zähle ich das Geld, unseren Rest, den ich immer bei mir trage, aus der einen Hand in die andere. Knapp zweihundertfünfzig Lira. Das Zimmer ist noch bis zum Ende der Woche bezahlt. Was danach kommt, weiß ich nicht. Im Grunde bleibt nur der Rückflug. Ich kaufe Orangen, Äpfel, Bananen, esse gierig im Laufen. Ich biege in unsere kleine Straße, laufe auf der Schattengrenze, fühle mit dem linken Fuß den heißen, mit dem rechten den kalten Stein. Vielleicht ist es nur die Klarheit, die einfachen Fronten, die Einfachheit an sich, die mir fehlt. Wie armselig, dass ich in Istanbul sitze und mich an den Esstisch, auf die Couch, in die freundliche Welt meiner Eltern, in mein schönes, altes Zimmer wünsche. Wie kümmerlich. Ich betrete das Hostel und nicke dem Typen hinter dem Tresen zu. Er nickt zurück. Wir haben uns das Lächeln abgewöhnt. Oben drehe ich den Schlüssel im Schloss und drücke die Tür auf. Samuel sitzt auf dem Bett und schaut mich böse an: »Was fällt dir ein, mich einzuschließen?« Er sieht wach aus. Ich lache und setze mich neben ihn, schüttele ihn leicht. Er rührt sich nicht. Er sagt: »Ich hab so nen scheiß Hunger, seit Stunden schon, ich muss was fressen, hab Bock auf Reis oder auf Kartoffeln, glaubst du nicht, was ich für Kohldampf hab. Und du Arsch sperrst mich hier ein. Spinnst du eigentlich, warum sperrst du mich hier ein, was soll der Scheiß?«

Ich grinse: »Mann, das ist gut, dass du Hunger hast. Es war so anstrengend, dir was einzuflößen. Wie fühlst du dich?«

»Hungrig, sag ich doch.«

Ich lache und er grinst ein bisschen mit.

»Und sonst?« Ich halte ihm die Plastiktüte mit dem Obst hin.

»Oh«, er nimmt eine Banane, schält sie und stopft sie sich gierig in den Mund, den Apfel gleich hinterher, »ich will Reis und Kartoffeln und so Zeugs.«

»Dann lass mal los und was zu futtern suchen.«

Wir stehen auf, Samuel zieht sich an. Als er fast fertig ist, hält er inne, dreht sich noch einmal zu mir um und sieht mich lange an. Ich fühle ein kurzes Pochen in meinem Hals, Aufregung, schlechtes Gewissen, was albern ist, weil er von nichts wissen kann. Er ist nur außer Atem, stützt sich mit einer Hand an der Wand ab.

»Wie lange war ich weg? Krank, meine ich«, fragt er.

Ich zucke die Schultern. »Zwei Wochen«, sage ich, »ungefähr.«

»Was? Das glaub ich nicht. Ich dachte, höchstens drei Tage.«

Ich lache. Wir machen uns auf den Weg. Samuel wirkt wie ein alter Mann. Seine Schritte sind kraftlos, wir kommen nur langsam voran und müssen immer wieder Pausen einlegen. Jetzt ist es Samuel, der hinter mir läuft und mir schnaufend auf die Schulter klopft und sich setzen will. Ich habe Angst, dass er sich überanstrengt. Mit Samuel auf der Straße ist Istanbul eine andere Stadt. Es macht wieder Spaß, draußen zu sein. Ich denke nicht, laufe nur und gucke auf seine Füße, seine kleinen unsicheren Schritte.

»Was hast'n du eigentlich zwei Wochen lang gemacht?«

»Hast du gar nichts mitbekommen?«

»Phh«, er überlegt, »naja, schon, aber mehr so dämmerig, wie Nebel oder so. Du warst manchmal da und manchmal nicht. Die Wände, das Fenster, Schwitzen. Ah: manchmal hast du mich gewaschen!«

»Manchmal!«

»Oder nicht?«

»Ja, Mann, ich hab dich jeden Tag zwei- oder dreimal gewaschen!«

»Warum das denn?«

»Weil du geschwitzt hast wie blöde.«

»Ja, und sonst?«

»Nicht viel. Ich war viel bei dir, manchmal draußen, eingekauft und so.«

»Zwei Wochen lang?«

»Na, was hätt ich machen sollen?«

»Mich ins Krankenhaus bringen und – keine Ahnung: rumreisen oder wenigstens durch die Stadt fetzen, tanzen gehen, Wohnungen besichtigen. War ich eigentlich bei nem Arzt?«

»Jetzt fängst du auch noch an.«

»Hä?«

»Nichts.«

»Wer fängt denn noch an?«

»Nichts, vergiss es. Hier: Wie is mit dem Laden, sieht doch ganz gut aus?«

Eine Bude wie jede andere auch, Fleisch, Brot, Gemüse, Reis. Samuel nickt und wir setzen uns auf die Hocker an den tiefen Tischen auf der Straße. Wir bestellen, trinken Wasser und Tee, dann bringt der Kellner gebratenes Gemüse, Reis und Fleisch, ein bisschen Salat. Samuel stopft gierig Gemüse und Reis in seinen Mund.

»Du hast echt nicht mal einen verdammten Termin in ner Wohnung abgemacht? Hast dir gar nichts angeguckt?« Er schnaubt, es ist ein Vorwurf. Ich gucke an ihm vorbei und auf die Straße. Kaum ist er wieder in der Lage zu reden, fängt er an zu streiten, weiß alles besser.

»Du bist ja echt ein so unglaublich fauler Mensch, kann ich gar nicht fassen.« Er lacht, als hätte er einen freundlichen Witz gemacht.

»Weißt du was? Du kannst mich mal! Wer hat dich denn die ganze Zeit gepflegt, wer hat sich um dich gekümmert, als es dir so beschissen ging?«

»Soll ich jetzt danke, danke sagen, oder was? Hast dich ja toll gekümmert: nicht mal zu nem Arzt haste mich gebracht.«

»Weil du nicht wolltest, du Arschloch. Ich hätte dich doch hingebracht.«

»Super! Weil ich nicht wollte! Ich hab doch überhaupt nichts hingekriegt, hab gar nichts mehr geschnallt.«

»Ja, und du schnallst noch immer nichts!«

»Fick dich! Ich mein ja bloß: jetzt haben wir zwei Wochen verloren, weil du nur rumgesessen hast. Hättest ja wenigstens mal ein paar Preise erfragen können, mal ein, zwei Termine ausmachen, damit wir jetzt mal endlich loslegen können.«

»Zwei Wochen verloren, weil ich nur rumgesessen habe!«

Ich merke, wie mir Tränen in die Augen schießen, ich muss mich beherrschen. »Du bist krank und liegst rum und ich soll alleine durch dein beschissenes Istanbul latschen und die Stadt klar machen und am besten noch deinen verschollenen Vater finden oder was?« Ich schnaube vor Wut und merke erst, als ich nicht mehr rede, wie sehr ich bebe.

Samuel isst ruhig weiter und mustert mich mit seiner kühlen Distanz.

»Jetzt sag was, du Wichser.«

Er sagt nichts. Er isst nur weiter, sieht auf seinen Teller, führt die Gabel zum Mund und sieht mich wieder an, als wäre nichts passiert, als gäbe es nichts zu reden, als wäre er vollkommen unbeteiligt. Er sieht klein aus, wie er da sitzt und Essen in seinen Mund stopft, das eingefallene Gesicht, die ungelenken Bewegungen, die ihn sichtlich erschöpfen.

Wir sitzen und schweigen und essen auf. Samuel reibt sich seinen Bauch und schnauft, der Kellner kommt, ich zahle. Wir nähern uns der zweihundert-Lira-Grenze. Auch davon habe ich ihm noch nicht erzählt.

Ich weiß noch: Lina und ich lagen im Gras und blinzelten in die pralle Sonne. Sie hob ihr Bein, ihr wunderschönes, braunes Bein und spielte mit dem Fuß vor der Sonne herum, als wolle sie ein kleines Schauspiel im Scheinwerferlicht aufführen. Ich weiß noch genau, wie ich dalag und nur die Umrisse jedes einzelnen Zehs sah, dahinter die reine Helligkeit. Wenn ich jetzt zurück denke, weiß ich, wo man verliebt ist: an dieser Stelle direkt unter dem Brustbein, dort, wo der erste Bauchmuskel ansetzt. Ich kann noch das Prickeln von damals fühlen. Ich war verliebt. Ich war verliebt in jeden einzelnen Zeh, den sie gegen die Sonne streckte. Ich liebte Lina Zeh für Zeh. Egal, dass es immer nur Momente waren.

[»Familienfoto«, sagte Samuel. Er grinste, und um es mir zu erklären, fuhr er mit dem Finger um die Konturen der Schatten auf dem Foto über seinem Bett, auf dem wir saßen. Die Schatten so klar wie gemalt. Auf dem Foto wird es Abend, die Sonne steht tief im Rücken des Fotografen.]

Es ist Samuels fünfzehnter Geburtstag. Ich wache noch vor dem Wecker auf, weil Samuel mit den Fingern an der Wand rumklopft. Ich stehe auf und plötzlich tut Samuel, als schlafe er. Ich gehe in die Küche. Wir haben bei ihm geschlafen. Kein Problem, natürlich haben meine Eltern auch das erlaubt, auch wenn sie es immer besser finden, wenn wir bei uns schlafen. Nicht, dass sie darauf aus gewesen wären, uns zu kontrollieren, nur konnten sie eben nicht genau einschätzen, was bei Samuel abging. Sie haben nie groß Verbote aufgestellt, nur darauf geachtet, dass sie eine bessere Alternative darstellen. Ich komme verschlafen in die Küche getapst und da steht Irene mit einem fetten Grinsen, einen Finger im Mund, in Unterhose und Schlafshirt, in der anderen Hand eine Rührschüssel. Der Ofen glüht und duftet, dass man hineinsteigen möchte. Sie nimmt mich in den Arm und küsst mich wortlos auf die Wange, stellt die Schüssel ab und zieht mich ins Wohnzimmer. Sie muss es über Nacht oder früh am Morgen aufgeräumt haben, denke ich, denn so hatte ich es noch nicht gesehen. Aller Ramsch war in eine Ecke geräumt, eine Decke über das schmierige Sofa geworfen und eine über den Tisch. Darauf ein Haufen Geschenke. Irene tänzelt aufgeregt herum, wie ein kleines Kind, nimmt mich wieder bei der Hand und zieht mich zurück in die Küche. Sie stellt den Ofen aus und nimmt den duftenden Kuchen aus der Röhre. Halb stellt sie, halb wirft sie die Springform auf die Herdplatten und klatscht mit einem großen Löffel großzügig Frischkäse auf den Nusskuchen, verstreicht ihn summend und löffelt ein ganzes Glas Erdbeermarmelade darauf. Wir schleichen an Samuels Bett, der die Augen zusammen gekniffen hält, ich sehe, wie die Lider zucken, wie sich die Vorfreude in seinen Mundwinkeln kräuselt. Irene wischt mit dem Kuchen um sein Gesicht herum, um den Geruch zu verteilen und stellt ihn ab, stupst ihren Jungen in den Bauch, schmeißt sich auf ihn, küsst und kitzelt, ich stehe dabei, muss lachen, sie fährt ihm durch die Haare, beißt in seinen Hals. Sie toben einen kurzen Moment und umarmen sich. Später sitzen wir am Tisch im aufgeräumten Wohnzimmer und Samuel, wie es seine Art ist, packt seine Geschenke behutsam und vorsichtig aus, kratzt sorgfältig das Klebeband vom Geschenkpapier und faltet es auseinander, legt es zusammen und auf einen Stapel, langsam, genießerisch. Irene daneben, ungeduldig, muss sich beherrschen, ihm nicht die Geschenke aus der Hand zu nehmen und das Papier selbst in Fetzen zu reißen. Sie hibbelt und stößt ihn an und Samuel muss lachen, grinst mich an. Sie hat ihm Rasierschaum, Rasierer, Aftershave geschenkt, Deo, Parfum, einen Walkman. »Oh, das Scheißpapier, jetzt sieh mal zu, Sami«, sagt sie und steht auf und ich sitze in dem schäbigen alten Ledersessel neben Samuel und liebe, wie ruhig er bleibt, wie die beiden gegeneinander spielen. Irene geht, man hört sie in der Küche klimpern. Sie schneidet den Kuchen. Samuel packt mein Geschenk aus: eine Türkei-Fahne und ein Gutschein für drei Döner. Wir lachen, er nimmt mich in den Arm. Irene kommt mit Kuchen und Sekt und stellt das Tablett auf die Fahne, als wäre sie nicht da.

»Macht doch heute blau, ihr zwei«, sagt sie.

Samuel wehrt ab: »Ach Mama, nee, lass ma, echt nicht.«

»Hast doch nur einmal im Jahr Geburtstag«, sagt sie und schenkt Sekt in die Gläser.

»Oh, Mama, nee«, er grinst mich an, »weißte, können doch nicht alle arbeitslose Penner werden.« Irene guckt böse, lächelt dann.

»Ich schreib dir ne Entschuldigung.«

»Nee, lass mal«, sagt Samuel und wir futtern den Kuchen. Er ist großartig.

»Geil«, sage ich und Irene freut sich und trinkt.

»Okay, wir geh'n jetzt mal«, sagt Samuel und steht auf.

»Ja«, sagt Irene, »geh'n wir nachher an den See, ja?« Samuel nickt.

Nach der Schule gehen wir erst mal zu mir. Ich weiß schon länger, was meine Eltern ihm schenken. Ich war dagegen und war es nicht. Natürlich, sie meinen es gut und es ist egal, wie viel es gekostet hat. Sie lieben Samuel nun mal, er isst ja fast jeden Tag bei uns, schläft bei uns, wohnt bei uns, hat einen Schlüssel, warum sollten sie sich Gedanken darüber machen, wenn sie ihm ein Fahrrad zum Geburtstag schenken. Und natürlich freut Samuel sich, als meine Mutter ihn mit verbundenen Augen in den Garten führt, ihm die Binde abnimmt und er das nagelneue Tourenrad sieht, schwarz und silber.

Ich weiß noch, dass ich es zum Kotzen fand, mit welcher Selbstverständlichkeit sie mit ihrem Riesengeschenk Irene übertrumpften und nicht einen Augenblick darüber nachgedacht hatten, dass sie ihren billigen Rasierer, den Supermarkt-Walkman wertlos machten. Ich fand es ungerecht, wie einfach es für sie war.

Ich überrede Samuel, das Rad noch einen Tag stehen zu lassen. Wir laufen also mit Irene zum See. Samuel hat seinen Walkman auf und krächzt den ganzen Weg über irgendwelche furchtbaren türkischen Lieder mit, ist nicht ansprechbar, aber fröhlich. Als wir am See ankommen, werfen Samuel und ich unsere Taschen hin, ziehen uns aus und rennen sofort in den

See. Wir tauchen ein bisschen hin und her und gucken zum Ufer. Samuel zeigt auf einen Baum, unter dem zwei Mädchen liegen, er grinst und springt mich an, drückt mich unter Wasser. Als wir uns abtrocknen, will Irene mit uns anstoßen. Sie öffnet einen Sekt, füllt Plastikbecher. Ob wir Kuchen wollen. Wir wollen nicht, wir wollen rüber. »Wenigstens anstoßen«, sagt sie. Wir stoßen eilig mit ihr an und sie füllt nach und Samuel sagt: »Ich nehm die Flasche mit, wir stoßen auch noch mal mit denen da drüben an«, er grinst. Irene trinkt schnell den zweiten Becher leer, schenkt sich noch einmal nach und sagt: »Na los!«, und drückt Samuel die Flasche in die Hand.

Wir gehen langsam rüber, nähern uns vorsichtig. Samuel stellt die Flasche hinter einem Busch ab, tritt sie um und der Sekt versickert mit einem leisen Prickeln im Rasen. Er schiebt mich vor und steht hinter mir, mit seinen feuchten Locken, lässt mich erstmal machen, sagt nichts, steht nur grinsend bei mir. Ich zeige auf Samuel und fange an, irgendwas zu reden. Wir setzen uns und Samuel beobachtet, wie er es immer tut. Er braucht immer eine Weile, dann kommt er mit Ideen. Er schlägt vor, Eis zu kaufen und mit Eis schwimmen zu gehen. Witzige Idee, aber dann stehen wir doch nur bis zum Bauchnabel im Wasser und essen viel zu schnell, im Wasser kann man Eis nicht besonders gut genießen. Ich gucke zufällig zum Ufer und sehe, dass Irene ins Wasser wankt, sie kommt auf uns zu. Ich stoße Samuel vorsichtig in die Seite, es dauert einen Moment, bis er versteht, was ich will, dann dreht er sich um, sieht seine Mutter und wie sie zu uns rüberwankt. Es dauert einen kurzen Augenblick, dann dreht er sich mit einem lauten Lachen um und wirft mir sein Eis gegen den Bauch, ich überlege und spritze mit Wasser zurück und zusammen spritzen wir die Mädchen nass und sie uns, Wasserschlacht, so übertrieben, dass die Mädchen schreien, sich wegdrehen und sich die Augen zuhalten. Samuel dreht sich um und geht ohne Wort und Blick. Ich spritze weiter herum, sehe mich nicht um, tolle für zwei mit den beiden Mädchen und irgendwann, zwei, drei Minuten später, ist Samuel plötzlich wieder da, taucht sich mitten hinein zwischen uns, in unser Spiel, fasst eines der Mädchen an den Beinen, zieht sie unter Wasser, sie kreischt und geht in einem lachenden Gurgeln unter.

Wir wollen uns nur kurz anziehen und dann mit Geburtstagskuchen zu ihnen rüber unter den Baum kommen. Es ist vielleicht sechs Uhr und überall um uns herum holen die Familienväter ihre Bierkästen und Grills aus den Wagen. Das Zischen von Fett, das in die Glut tropft, das Ploppen von Kronkorken, Geschirr, das aneinanderschlägt. Wir nehmen unsere Handtücher und trocknen uns ab, bibbern. Irene liegt und schläft. Wir ziehen uns an, Samuel beugt sich zu ihr herunter und stößt sie leicht an. Irene reagiert nicht. Samuel will den Kuchen aus ihrem Rucksack nehmen und hat plötzlich eine leere Schnapsflasche in der Hand. Ich sehe es, sein kurzes Zögern, wie er sich umdreht und mich ansieht, wie sich sein Mund verzieht. Er steckt die Flasche zurück. Überlegt kurz. »Scheiße«, sagt er und dreht sie unsanft auf den Rücken. Es ist, als sei jeder Muskel ihres Körpers betäubt: der Mund steht offen, Spucke läuft über ihre Wange, die Lider sind nur halb geschlossen. Ihr ganzer Körper ist schlaff und widerstandslos. Samuel rüttelt an ihr, sein Mund verrät, wie wütend er ist. Ich gehe neben ihm in die Hocke, rieche den Alkohol.

»Scheiße, was machen wir denn jetzt? Die ist ja total fertig.«

»Dumme Kuh.«

»Scheiße, Samuel, wir müssen den Krankenwagen holen, da geht ja gar nichts mehr. Die hat ne ganze Flasche Whiskey gesoffen.«

»Scheißkuh. An meinem Geburtstag.«

»Die kriegen wir hier doch nie alleine weg!«

Er rüttelt an ihr, gibt ihr Ohrfeigen. Er ist wütend, enttäuscht, das sehe ich. Keine Reaktion von Irene.

»Soll ich nen Arzt rufen gehen?«

»Halt deine Klappe. Geh zu den Mädels rüber, nimm den Kuchen mit. Ich komm gleich nach.«

»Mann, ich helf dir, was machen wir jetzt?«

»Wir machen gar nichts, geh rüber, hab ich gesagt.«

»Samuel.«

»Jetzt geh, ich mach das schon.«

Ich bleibe stehen und warte. Samuel drückt auf Irenes Bauch und ihr Körper biegt sich durch, zeigt endlich eine Reaktion, ihr Kopf zuckt einige Zentimeter in die Höhe, der Mund öffnet sich ein wenig weiter, als wolle sie kotzen. Samuel prüft sie mit seinem forschendem Blick, zusammengekniffenen Augen, er nickt ein bisschen. Er dreht sie auf die Seite, sieht sich um, in die Ferne, sieht mich, ohne mich tatsächlich zu bemerken. Er senkt den Kopf, flüstert in ihr Ohr, fühlt ihren Puls, hebt ihre Lider unsanft. Keine Reaktion. Er zieht den schlaffen Körper seiner Mutter ein kleines bisschen nach oben, bis ihr Kopf auf dem Rasen liegt und nicht länger auf der Wolldecke, die er um ihren Körper schlägt. Er sieht sich noch einmal um, dann fährt er mit zwei Fingern in ihren Mund und tiefer in ihren Hals. Irene stöhnt, beginnt kraftlos abzuwehren, zuckt und erbricht sich in einem Schwall auf das Gras, auf dem sie liegt. Er zieht ihren Kopf zehn, zwanzig Zentimeter nach hinten, wiederholt seine Prozedur, wieder läuft es in einem flüssigen Schwall aus seiner Mutter heraus. Sie blinzelt langsam, mit verklebten Augen. Samuel ist ihrem Gesicht nah, spricht leise mit ihr, zischend, ich verstehe nicht, was er sagt. Er packt sie fest an der Schulter und hebt sie an.

Irene sitzt und versucht hilflos, sich zu orientieren. Man sieht, dass sie nichts versteht, weder, wo sie ist, noch, was mit ihr geschieht. Gerade als sie sich wieder hinlegen will, läuft eine neue Welle durch ihren Körper und sie erbricht sich noch einmal, diesmal nur halb auf das Grün und halb auf ihre Hose. »Bah, Scheiße, verdammte!«, zischt Samuel und stößt sie an vor Wut, dass sie umfällt und verhalten und lallend meckert. Mit schnellen Handgriffen packt Samuel die herumliegenden Sachen in die Rucksäcke und sieht zu mir rüber.

»Bist ja noch da.«

»Hey, kann ich dir nicht irgendwie helfen?«

»Ja, hab ich doch gesagt: geh da rüber und halt die Mädels warm, ich bin gleich zurück. Ich muss sie nur eben wegbringen.«

»Scheiß doch auf die Mädels. Ich komm mit dir, wie willst'n das alleine schaffen?«

»Scheiß auf sie«, mit dem Kopf nickt er in Richtung Irene, »ich mach das schon. Jetzt nimm endlich den verdammten Kuchen und sieh zu, dass sie noch bleiben. Ich brauch zwanzig Minuten oder so. Erzähl denen, ich komm gleich nach, bin noch kurz was zu trinken holen.«

Ich gehe also rüber, setze mich. Zwischen den Sätzen, die ich aufsage, und dem Verteilen des Kuchens, gucke ich immer wieder möglichst unauffällig zu Samuel. Tatsächlich hat er es geschafft, dass Irene wieder stehen kann. Er nimmt beide Rucksäcke auf die Schultern, stützt Irene und langsam sehe ich sie über die Wiese laufen und zwischen den Bäumen verschwinden.

Keine halbe Stunde später kommt er auf seinem neuen Fahrrad angebraust und bremst, dass es eine Narbe in den Rasen reißt, lässt das Rad auf den Boden fallen und holt aus einer der beiden Radtaschen eine Flasche ordentlichen Sekt.

Er grinst gut gelaunt. Er ist zurück. »Und jetzt feiern«, sagt er, fummelt den Korken von der Flasche, setzt an, trinkt zwei, drei große Schlucke und sagt: »Auf mich!« Zu viert trinken wir die Flasche aus, sind froh, dass wir nicht reden brauchen. Samuel hat eine Laune, die mir unbegreiflich ist. Er grinst das Mädchen neben sich an und rückt näher, lehnt sich zu ihr rüber und flüstert in ihr Ohr. Dann stehen die beiden auf und verschwinden einfach. Ihre Freundin und ich, wir bleiben sitzen und gucken auf den See, als wären wir es gewohnt, dabei wissen wir nur nicht, was wir reden sollen.

Später bringen wir die beiden noch nach Hause, geben ihnen Kaugummis und verabschieden uns, indem wir Hände schütteln. Inzwischen ist es dunkel und kühl und wir fetzen auf Samuels neuem Rad durch den Abend, über die Straßen, den warmen Asphalt, ich auf dem Gepäckträger, Samuel wild tretend und in übermütigem Slalom zwischen den Strichen des Mittelstreifens. Ich halte mich an seiner Hüfte, drücke mein Ohr an seinen Rücken, schließe die Augen. Wir schlafen bei mir. Ich brauche gar nichts zu wissen.

»Ich fühle mich wie ein Baby«, sagt Samuel. Ich sitze vor ihm auf der Kante, die nackten Füße im Bosporus. Ich drehe mich kurz um und sehe ihn an. Wir haben den ganzen Tag nicht geredet. Er geht mir auf die Nerven. Dass es ihn nicht im Geringsten interessiert, wie ich mich fühle, wie es mir geht, nachdem ich ihn zwei Wochen lang vollkommen bedingungslos und selbstverständlich gepflegt habe, für seinen schwachen, kranken Körper da war. Er hat nur Vorwürfe für mich übrig.

»Hä?«, raunze ich.

»Mein Körper«, sagt er und hält mir die Arme hin, als würden sie etwas zeigen oder beweisen, »der fühlt sich so frisch und zerbrechlich an, so leer und neu, wie frisch geschlüpft. Wenn ich scheiße, riecht es nicht, wenn ich Bier trinke«, er nippt, »bin ich sofort betrunken. Ich bin irgendwie gereinigt.« Er lacht in sich hinein.

Eine alte Frau kriecht in endloser Langsamkeit an uns vorüber. Ich muss an Schildkröten denken.

»Samo, wir haben kein Geld mehr.«

»Was?«

Ich trinke meine Bierflasche aus und werfe sie ins Wasser. Es platscht, ein paar Möwen steigen in den dunklen Himmel auf. Ich krame in meiner Tasche und halte ihm das restliche Geld hin. »Nicht mal hundertneunzig Lira«, sage ich.

»Wie?«

»Ja, wir sind schon ein paar Wochen hier, Mann. Und dann das teurere Zimmer, als du krank warst. Geht langsam zu Ende. War doch klar, dass irgendwann das Geld weg ist. Ich meine: wir haben noch was für den Rückflug, aber das brauchen wir auch. Nur: eigentlich müssen wir so langsam auch mal buchen, damit wir überhaupt noch nen Flug für das Geld kriegen.«

»Ich hau hier nicht ab. Wir sind doch grad erst angekommen.«

»Wie?«

»Ich hau hier nicht ab!«

»Ja, was? Willst du hier bleiben, ohne Geld und alles?«

»Zurück will ich jedenfalls nicht. Janik, Mann, wir haben hier doch noch zu tun.«

»Was denn?«

»Haben doch noch gar nicht angefangen. Wohnung suchen. Geschäft suchen.«

»Ja! Und deinen Vater suchen, von dem du nicht weißt, wie er heißt und wie er aussieht. Huh: den Schatten fangen.«

»Halt's Maul, was soll das?«

»Hat doch alles keinen Sinn. Wir haben kein Geld mehr und was du redest, ist Schwachsinn. Das macht alles keinen Sinn. Urlaub vorbei, Samuel.«

Ich ziehe die Beine aus dem Wasser, drehe mich und lege sie vor mich auf den warmen Stein, der die Hitze des Tages in sich gespeichert hat. Ich sehe ihm ins Gesicht, Samuels dunkle Augen glitzern wie das Wasser hinter mir.

»Spasti«, zischt er mich an.

»Was?«

»Fahr doch.«

»Ich versteh dich nicht: bist du gar nicht gespannt, was zu Hause los ist?«

»Was soll los sein?«

»Meine Mutter hat doch erzählt, dass Irene bei ihr war, dass sie trocken ist.«

»Ach.«

»Was, ach? Stell dir vor, sie kriegt jetzt die Kurve. Stell dir vor, wir sitzen zusammen bei euch in der Küche und unterhalten uns. Stell dir vor, sie wär wirklich zurück.«

Samuel schnaubt ein Lachen aus sich heraus.

»Was denn, erzähl mir nicht, dass dich das nicht interessiert.«

»Interessiert mich nicht.«

»Ich weiß, dass es dir nicht egal ist, was mit ihr ist. Und mir auch nicht.«

»Es geht dich nichts an. Es geht dich Scheiße nochmal nichts an.«

»Und wenn: dich geht es ja wohl was an.«

Samuel schüttelt den Kopf.

»Meinst du, das ist das erste Mal, dass sie mal nicht säuft? Wie oft war sie denn schon mal für ein paar Tage oder von mir aus ein paar Wochen stark. Erzähl mir deinen Scheiß nicht, als wär jetzt alles anders. Denkst du, du steckst deinen Schwanz in meine Mutter und plötzlich ist sie ein besserer Mensch? Denkst du das? Fick dich, fick dich einfach und halt dein Maul, ich will deinen Müll nicht hören, ich will nicht, dass du über meine Mutter redest. Ich will überhaupt nicht an sie denken. Ich bin hier und sie ist da und sie kann machen und probieren, was sie will, aber sie soll mich mit ihrem Scheiß in Ruhe lassen und du erst Recht. Das geht dich nichts an.«

»Okay. Gut. Ich sage nichts mehr. Ich sag dir nur eins: wir haben kein Geld mehr und wir müssen bald zurück.«

»Ich muss gar nichts mehr. Ich bleibe hier. Mit oder ohne dich, ich mach hier mein eigenes Ding, das kannst du mir glauben.«

»Jetzt mal im Ernst: das kriegen wir doch nie hin.«

»Hast du's probiert?«

»Ja, haben wir's denn nicht probiert? Wir probieren hier seit ein paar verschissenen Wochen rum und nichts ist passiert, außer, dass wir verarscht werden, dass ich mich langweile und du krank bist und wir hier rumhängen und schwitzen. Was soll's? Ist doch auch nicht schlimm. Haben wir uns Istanbul angeguckt und jetzt fahren wir eben einfach wieder zurück.«

»Und dann?«

»Und dann? Dann … weiß ich nicht: studieren, rumhängen, jobben. Mir egal. Aber hier, ehrlich, ich hab gar keinen Bock mehr hierzubleiben. Ich versteh die Leute nicht, die verstehen mich nicht, wir finden keinen Job und haben nichts zu tun. Und ich finde, du brauchst auch nicht so zu tun, als wärst du hier aufgeblüht. Ich fand's ja witzig alles, aber …«

»Witzig?«

»Du bist kein verdammter Türke, Samuel. Du bist ein Deutscher, ein ganz normaler Deutscher. Bloß weil deine Mutter irgendwann mal mit nem Türken gevögelt hat, brauchst du dich hier nicht so aufzuspielen.«

Er steht auf und steht. Über mir. Den Kopf bedrohlich gesenkt, die Lippen tief in seinen Mund gesogen. Eine fremde Maske. Für einen Moment habe ich Angst, dass er mich schlägt, anspuckt oder ins Wasser schubst. Dann dreht er sich nur um und geht. Ich atme tief und stehe auch auf, ich sehe ihm nach, dann, nach einer Weile, rufe ich ihn. Er soll stehen bleiben. Aber er bleibt nicht stehen.

[Bis Samuel es mir erklärt hat, habe ich es tatsächlich nicht bemerkt, nicht daran gedacht. Dabei berührt Irenes Schatten den des Fotografen fast. Ein Männerschatten. Man erkennt nur einen Kopf und zwei angewinkelte Arme, die die Kamera halten müssen, verzerrt, aber deutlich.]

Ein einziges Mal hat er bei uns zu Hause die Beherrschung verloren. Ein Abend im Frühsommer, Mai vielleicht, wir waren in der zehnten Klasse. Ich weiß noch: meine Mutter hatte schon am Morgen rumgenervt, wir sollten heute doch bitte unbedingt pünktlich zum Essen da sein, weil meine Großeltern, ihre Eltern, zu Besuch kämen. Samuel und ich hatten den ganzen Tag in Stambul verbracht, wie alle Tage zu dieser Zeit. Wir haben gebaut, geraucht, gekifft, in der Sonne gesessen, auf unsere Hütte geglotzt und weitere Pläne geschmiedet. Wir planten die Veranda, planten, Knöterich zu besorgen, Hecken und uns Gartenzwerge zu klauen. Irgendwann lagen wir im Gras, machten gerade Pause, rauchten und Samuel fragte, was meine Großeltern so für Menschen seien. Ich zuckte die Schultern, weil ich es tatsächlich nicht wirklich wusste. Als wir zu Hause ankamen, unsere Räder gegen die Hauswand schmissen und vorsätzlich eine halbe Stunde zu spät waren, saßen sie schon zu viert im Garten, mein Vater in seiner albernen Schürze am Steinofengrill, alle anderen am Tisch. Oma stand auf und kam auf mich zu, um mich viel zu überschwänglich in den Arm zu nehmen. Eine übertriebene Fröhlichkeit, aber sie freute sich wohl wirklich, mich zu sehen. Mein Vater gab den intellektuellen Clown. Er trinkt ja selten, aber an diesem Abend hatte er einen im Tee. Ich vermute, dass er seine Schwiegereltern nicht mag, sich aber niemals trauen würde, offene Ablehnung zu zeigen. Sie kommen nur ein, zwei Mal im Jahr vorbei, setzen sich freundlich lächelnd an unseren Tisch, verbringen eine Nacht in unserem Gästezimmer, schlafen in dem frisch bezogenen Bett und hinterlassen ein gutes Gefühl im Haus. Mein Vater blödelte mit zu guter Laune um den Tisch herum, schenkte nach in halbvolle Gläser, legte Bio-Steaks und -Würste auf noch volle Teller, lobte augenzwinkernd sich selbst und die Salate meiner Mutter. Ich mochte ihn an diesem Abend, weil er sich selbst zurücknahm. Weil ich merkte, dass er alles andere lieber gemacht hätte an diesem Abend, dass er aber hier war, mit aller Kraft und allem Witz, wenn auch seine Witze etwas Kümmerliches hatten. Er sorgte für Stimmung. Man redete über Schule, über Schüler, über Bildungschancen und den bevorstehenden Urlaub meiner Großeltern, vor allem über Krankheiten und Gebrechen. Samuel und ich saßen am Ende des Tisches und waren froh, dass die Gespräche schon liefen. Wir grinsten uns von Zeit zu Zeit zu, schlugen uns die Bäuche voll und ließen uns von meinem Vater immer wieder die Gläser nachfüllen. Unter der warmen Haube des Rotweins war es ein wunderschöner, leichter Sommerabend. Wir hatten einen herrlichen Tag gehabt, jetzt saßen wir, tranken, aßen, lachten mit amüsierter Überlegenheit über die armseligen Gespräche und Gestalten an diesem Tisch, fühlten uns besser, bekamen einmal mehr vorgeführt, wie wir nicht werden würden und wussten, dass wir gleich wieder würden fahren können, nach Stambul. In unser Reich.

Zur Begrüßung hatte meine Großmutter mich umarmt, mich auf die Wangen geküsst. Samuel hatte sich artig vorgestellt, wie er es kann, mit offenem Blick, freundlich warmer Stimme, einem kräftigen Händedruck, wir begrüßten meinen Großvater, der sich nur wenig erhob, ein alter Mann, würdevoll und weitaus weniger gesprächig als meine Großmutter. Einmal legte Samuel seinen Kopf auf die Seite und flüsterte mir ins Ohr: »Sie guckt mich die ganze Zeit so komisch an, die lässt mich nicht aus den Augen.« »Quatsch«, sagte ich. Aber als mein Vater von den Schwierigkeiten im Schulalltag berichtete, von den extremen Fällen, den Migrantenkindern und den Kindern aus der Unterschicht, drehte sie den Kopf und blickte Samuel einige Sekunden lang prüfend an, dann wandte sie den Kopf zu Mutter und fragte mit belegter Stimme: »Das ist doch der, oder?« Mutter machte eine Bewegung mit dem Kopf, die ein Nicken hätte sein können und sah sofort weg und zur Seite. Ich war hellhörig und zur Stelle. »Der was?«, wollte ich wissen. Samuel stellte sein Glas ab, hörte auf zu kauen, seine Nasenflügel wurden steif, seine Augen fuhren hin und her. »Der was, Oma?« Ich hörte Samuels festen, harten Atem neben mir. Oma setzte ein zuckersüßes Lächeln auf. »Dein Freund«, sagte sie mit einer Falschheit, die ihr sichtbar selbst im Hals weh tat, »dein bester.«

»Mama«, sagte ich, »was habt ihr geredet?« Meine Mutter zuckte die Schultern, antwortete, sie hätten nur erklärt, warum wir zu spät seien, dass wir noch im Schrebergarten seien und dass sie in diesem Zusammenhang eben auch von Samuels Elternhaus erzählt hätten und so. Und so. Samuel, ich spürte es, ohne hinzusehen, wurde steifer bei jedem dieser Worte und sein Atem wurde kürzer. Es war still für einen Moment, ein angespanntes Schweigen, es war zu spüren, dass keiner etwas Passendes zu sagen hatte. Und mitten in die Stille hinein, legte meine Großmutter ihre warme, faltige Hand auf Samuels zur Faust geballte Hand und hielt sie in einer ekelhaft wohlwollenden Großmuttergeste, sah ihn an und sagte mit ihrer wärmsten Stimme: »Du kannst doch nichts dafür, mein Lieber, es ist nicht deine Schuld.« Die Worte hatten keinen Moment Zeit, zu fallen, sich breit zu machen und in die Situation zu legen. Sofort fuhr Samuel hoch, stieß dabei so heftig gegen den Tisch, dass Gläser und Flaschen umfielen und das Geschirr zitterte. Er stand und bebte, leicht gekrümmt von der Anspannung aller Muskeln in seinem Körper. Ich hatte Angst vor ihm und gleichzeitig genoss ich es. Ich wollte, dass er ausrastete, wollte ihm zusehen, wie er aus der Fassung geriet, wie er um sich schlug. Ich wollte, dass er meiner Großmutter, dieser dämlichen alten Frau mit ihrem falschen, gespielten Verständnis mit der Faust das Gesicht zerschlug für ihren endlos dummen Satz und gleichzeitig wünschte ich es nicht. Samuel stand nur da. Keiner sagte irgendwas. Unter dem Tisch fuhr ich mit meiner Hand langsam in die Nähe seiner Wade, berührte sie leicht. Kurz zuckte er auf, sah mich an, dann ging er. Stieß dabei den Stuhl um, verhakte sich kurz und trat nach ihm, ohne sich noch einmal umzusehen. Ich blickte auf meine Füße, hörte, wie er sich entfernte, wie er sein Fahrrad nahm, hörte die Gartentür auf- und zugehen und die Stille danach.

Ich stand langsam auf, genoss die Ruhe und dass ich derjenige war, der sie zerstörte. Alle waren froh darüber, dass etwas geschah, dass die Stille gebrochen wurde. Ich stand vor meinem Stuhl, ließ die Sekunden tropfen. »Fickt euch«, sagte ich und drehte mich um, ging langsam zu meinem Fahrrad, schob es durch den Garten und fuhr los. Auf nach Stambul, zu Samuel, durch den herrlichen Abend. Ich fühlte mich groß und stark und auf der richtigen Seite. Die sanfte abendkühle Luft, ich weiß noch, ich ließ die Haare wehen, fickt euch, ich legte mich tief in die Kurven, meine Oberschenkel brannten, fickt euch, fickt euch alle. Gleich Stambul und Samuel und ich und ich ahnte, dass wir morgen oder übermorgen über meine dumme Großmutter und die großäugige Tischrunde lachen würden, darüber, dass meine Eltern versagt hatten, dass ihnen peinlich sein musste, wie sie über Samuel geredet hatten. Auch wenn es ihm weh tun sollte für diesen Augenblick, es war ein kleiner Sieg.

Wir saßen vorn am Kanal. Samuel hatte ein bisschen Pappe und Holz aufgetürmt und angezündet. Im Flackern der Flammen saßen wir da und glotzten auf die hässliche Wand der Schokoladenfabrik. Damals war sie noch unbemalt, weißgelblich verklinkert, noch keine Spur von Lina. Er war nicht sauer auf mich, kein bisschen, das wusste ich und wir brauchten nichts zu reden, auch das wusste ich. Samuel stocherte mit einem kleinen Stock in der Glut, ich warf kleine Ästchen hinein und wenn meine blinde Hand Steine fand, warf ich sie in den Kanal, der sich nicht bewegte, aber auf eine angenehm ruhige Art die kleinen Flammen spiegelte. Die Wellen, die meine Steinchen verursachten, zerstückelten die Spiegelung, dass sie mit ein bisschen Fantasie aussah wie ein armseliges Dorffeuerwerk. Irgendwann machte er den Mund auf, sagte irgendwas, stockte, räusperte sich und setzte nochmal an: »Und ich schäme mich noch dafür, dass ich mich schäme«, und ganz kurz traf mich sein Blick, so kurz, dass ich es nicht schaffte, ihn aufzunehmen. »Mh«, machte ich und fand das eigentlich schon zu viel.

Im Hostel. Mitten in der Nacht höre ich, wie die Tür geht. Samuel kommt ins Zimmer. Ich habe geträumt und keine Idee, wie spät es sein könnte. Er macht das Licht nicht an, steigt in zwei einfachen Bewegungen aus Hose und Shirt und fällt ins Bett neben mich. Ich höre seinen Atem und rücke ein winziges Stück zu ihm rüber. Ich möchte ihn umarmen und traue mich nicht. Ich möchte etwas sagen und lasse es. Mein Kopf gleitet noch ein Stück zu ihm hin, so dass meine Nase nur wenige Zentimeter von seiner Schulter entfernt ist. Ich kann ihn riechen und ich spüre das Ziehen in meinen Augen. Ich überlege, wie ich ihm von Irene erzählen könnte. Ich will, dass er mitkommt. Istanbul ist vorbei. Ich zähle Samuels Atemzüge und spüre, wie sie gleichmäßiger werden.

Als ich aufwache, ist es schon hell. Draußen ist bereits Tag. Leise kann ich das Hupen und Rauschen der Autos hören, Stimmen und hier drinnen den festen, gleichmäßigen Schlafatem von Samuel. Sein Mund ist leicht geöffnet, auf der linken Seite glitzert ein Speichelfaden. Vor der Tür Sonne und Lärm, Menschen und der rauchige Geruch der Straßen. Es ist früh und schon drückt mir der Tag in den Nacken. Ich denke an Samuel und sage mir, dass es so nicht geht. Ich sollte mich nicht so in meiner Laune vergraben, was hat das für einen Sinn. Es ist ein Urlaub, warum nicht genießen, warum nicht die letzten Tage feiern, mitnehmen, was noch möglich ist. Ich gehe hinaus, besorge Frühstück beim Kiosk. Während der Verkäufer die Sachen einpackt und den Kaffee in Pappbecher füllt, überlege ich, was ich sagen kann, ich suche nach Worten und versuche, fröhlich zu werden.

Als ich im Zimmer zurück bin, halte ich ihm den Becher mit Kaffee unter die Nase und lache, als der Geruch ihn tatsächlich weckt. Er guckt grimmig. Ich reiße ein Stück Brot ab und werfe es ihm hin, lege die Tüte mit den Oliven zwischen uns. Er nippt an seinem Kaffee.

»Frühstück ans Bett«, sage ich. Samuel starrt nur geradeaus.

»Tut mir Leid«, sage ich.

»Was?«

»Mit gestern.«

»Was denn?«

»Was ich gesagt hab.«

»Was tut dir daran Leid? Dass du endlich ehrlich warst?«

»Nein, dass ich so eine Scheiße geredet habe. War nicht so gemeint. War Schwachsinn, hätte ich nicht sagen dürfen.«

»Du darfst sagen, was du sagen willst. Du sollst sagen, was du denkst und nicht, was ich am liebsten hören möchte. Ich brauch keine Almosen. Du bist nicht deine Eltern. Hast du das nicht immer gesagt: Du bist nicht deine Mutter.«

»Ich hab's aber wirklich nicht so gemeint. Also, schon, ja, ich weiß nicht, was wir hier noch sollen und das Geld ist bald weg, aber das mit deinem Vater und so ...«

Ich lehne mich zurück und hole den Tabak aus der kleinen Schublade des Nachtisches. Ich drehe eine Zigarette, zünde sie an, nehme ein paar Züge und reiche sie Samuel. Er bläst seine Ringe in den Raum. Das Bett knackt leise.

»Wir könnten heute trotzdem mal zum Flughafen, nur um schon mal nach Flügen und Preisen zu gucken«, schlage ich vor, »oder hast du was Besseres vor?«

»Ich brauche Geld«, sagt Samuel, »kannst du mir Geld leihen?«

Ich gucke ihn an und verstehe nicht, was er meint.

»Ich hab kein Geld. Oder was meinst du?«

»Ich brauch noch zweitausend Euro oder so«, Samuels Stimme ist fest, als hätte er einen Plan und alles bereits durchgerechnet.

»Mehr brauch ich gar nicht. Zweitausend Euro, damit komm ich entweder durch oder ich komme auch zurück. Aber ich kann hier jetzt noch nicht weg. Mir fehlen die zwei Wochen, mir fehlt alles, ich hab hier noch was vor. So kann ich hier nicht weg.«

Ich nicke langsam und wirklich: Ich verstehe ihn irgendwie. Der mit den Räuberhänden ist keiner, der einen Rückzieher macht.

»Aber wo sollen wir zweitausend Euro hernehmen?«

»Frag deine Eltern«, sagt Samuel und guckt mich an. Guckt mich endlich an.

Ich blicke kurz zu ihm rüber, dann auf meine Hände.

»Meine Eltern? Wie kommst du darauf?«

»Die haben die Kohle doch, vielleicht schenken die uns was. Dass du nichts hast, weiß ich auch. Irene hat wohl auch nichts. Von wem sonst sollte ich mir Geld leihen? Bubu?« Er lacht. »Von mir aus können sie Stambul verkaufen.«

»Bist du behindert? Stambul verkaufen? Geld von meinen Eltern leihen? Damit sie sich ewig in alles einmischen können? Ich will nichts mehr mit denen zu schaffen haben und erst recht keine Schulden.«

»Aber schön zurück und bei Mutti wohnen.«

»Ich leihe kein Geld.«

»Du bist dumm.«

»Fick dich, warum bin ich dumm?«

»Weil du's nicht verstehst. Redest von Unabhängigkeit und Freiheit und solchem Quatsch und traust dich nicht mal, deine Eltern anzuzapfen. Du hast Schiss und du bist brav.«

Er schüttelt den Kopf und drückt die Zigarette auf dem Nachttisch aus, schnaubt verächtlich und trinkt seinen Kaffee in einem Zug leer. »Reden kannst du«, sagt er. »Geh zu Mutti.«

[Sein Finger fuhr den Schatten der angewinkelten Arme entlang,
umkreiste den Kopf. »Mein Vater«, sagte Samuel.
Er sah mich an, mit diesem Lächeln, das er immer lächelt.
»Ist das einzige Foto, das ich von ihm hab.«]

Samuel kauft eine Telefonkarte. Ich stehe hinter ihm, er weiß nicht, wie oft ich mir selbst schon eine solche Karte gekauft habe. Ich werde meine Eltern fragen, ob sie mir Geld leihen können und erzählen, ich habe nun doch einen Arzt kommen lassen, weil Samuel angefangen hätte, Blut zu kotzen und jetzt sei nicht nur alles Geld weg, ich säße sogar auf einer unbezahlten Rechnung. Natürlich werden sie mir Geld leihen. Ach was: schenken. Was juckt es sie? Ich werde mir anhören müssen: *Warum seid ihr nicht gleich zum Arzt? Habe ich doch gesagt. Hättest du auf mich gehört. Musste es denn erst so weit kommen?* Samuel gibt mir die Karte. Theoretisch könnte ich ihm danach mehr von Irene erzählen. Warum nicht: meine Mutter habe sie in der Stadt getroffen und sie hätten sich unterhalten. Irene habe von ihrer Therapie erzählt und vielleicht gerade einen Eimer Farbe dabei gehabt, auf dem Weg nach Hause, um die Küche neu zu streichen.

Auf dem großen Platz zwischen den Moscheen in Sultanahmed stelle ich mich in die Telefonzelle. Samuel sitzt in einiger Entfernung, aber so, dass wir Blickkontakt haben durch das schlierige Glas.

»Hallo, Mama!«

»Janik!«

»Ja, Mama, hör zu, wir haben ein Problem.«

»Oh, nein!« Ihre Stimme ist zittrig und weinerlich, schon jetzt.

»Jetzt hör mir erstmal zu! Alles nicht so schlimm. Ist schon geregelt. Ist nur so, dass Samuel nen ziemlich heftigen Rückfall hatte, hat Blut gekotzt und alles. Musste nen Arzt kommen lassen. Jetzt geht's ihm gut, er nimmt Medikamente und so, aber wir haben kein Geld mehr.«

»Janik.« Ich höre das Schluchzen meiner Mutter, eine seltsame Verzweiflung, schon in diesem einen Wort, meinem Namen.

»Janik, hier gibt es auch ein Problem.«

»Was?«

»Janik, ich weiß gar nicht, wie ich das sagen soll.«

»Ja, los.«

Samuel sitzt auf den Steinen vor mir und grinst in meine Richtung, er hebt eine Hand und macht das Victory-Zeichen. Dann spuckt er sich vor die Füße. Es wischen Leute an ihm vorüber. Ich nicke ihm zu und lächle ein wenig. Und auch ich hebe meine Hand, aber ich mache kein Zeichen, hebe sie nur und sie bleibt in der Luft hängen. Meine Mutter sagt: »Sie ist vor zwei Tagen beerdigt worden. Irene. Ich wollte dir ja Bescheid geben, aber ich wusste nicht wie. Ich konnte dich nicht erreichen. Ich … du … ihr hattet keine Nummer, ich weiß nicht mal den Namen von eurem verdammten Hotel oder irgendwas.« Sie schreit fast, ihre Stimme ist viel zu hoch und zu schrill in meinem Ohr, so dass ich den Hörer etwas von meinem Kopf entfernt halten muss. »Verdammte Scheiße!«, schreit sie und heult, »Ich konnte euch nicht erreichen! Was hätte ich denn machen sollen. Sie ist schon beerdigt worden.«

Samuel grinst dort drüben auf dem Stein. Die Sonne scheint. Ich verstehe nur halb, was sie sagt, ich verstehe nur halb, wo ich bin, ich verstehe nur halb. Ich möchte den Hörer aus dem Telefon reißen. Ich möchte schreien, vielleicht, den Kopf gegen die Scheibe schlagen, Samuel umarmen, meiner

Mutter sagen, dass sie lügt, dass das alles wieder nur ein Trick ist. Ein Test.

Ich möchte zu Hause in meinem Bett liegen. Ich möchte, dass das alles nicht wahr ist, dass wir nicht in Istanbul sind und niemals waren.

Ich möchte bei Lina sein, der zarten Frau mit den grünen Augen und ein Kind mit ihr haben oder zwei und schon fertig studiert haben, ganz egal was. Ich möchte einen Job haben und jeden Tag nach Feierabend nach Hause kommen, eine Stunde mit meinen Kindern spielen, Lina küssen, möchte das alles, will es unbedingt. Ich möchte eine Eigentumswohnung, ich möchte: Haftpflichtversicherung und Urlaub in Spanien. Ich möchte Müsli am Morgen und Fitnessstudio, ich möchte Tageszeitung und Butterbrote für den Tag, ich möchte einen Kleinwagen, ein Klapprad, eine Katze, die um meine Beine streicht und buckelt, ich möchte Hecken schneiden und heimwerken. Was tun wir hier, was tun wir in Istanbul, warum lacht der mit den Räuberhänden da drüben.

Meine Mutter schreit: »Wo wart ihr, als das alles passiert ist? Warum hast du dich nicht gemeldet?« Ich habe keine Worte.

Drüben unterhält sich Samuel mit einer Frau. Tatsächlich mit einer jungen Frau, endlich. Nach all der Zeit. Wie lange haben wir versucht, probiert und es nicht geschafft, uns nicht getraut. Hatten wir keine Ahnung, wie man landen kann bei einer türkischen Frau. Jetzt, ausgerechnet jetzt, wo ich die blecherne Stimme meiner Mutter aus der kleinen Plastikschale an meinem Ohr höre, die mir erzählt, dass Irene schon begraben ist, dass sie verbuddelt ist und zwei Meter Erde über ihr, ausgerechnet jetzt ist Samuel dort drüben aufgestanden und redet mit einer dunkellockigen Schönheit.

»Rückfall«, sagt meine Mutter. »Hat sich betrunken, als müsste sie alles nachholen, was sie verpasst hat in den letzten

Wochen, hat sich bewusstlos gesoffen.« Ich höre ihr Schlucken, den abgebrochenen Anlauf zu einem neuen Satz, den sie noch nicht fertig bringt. Ich höre ihr Stocken, ihr Schlucken, höre das Würgen in ihrer Stimme. Ich wünsche mir, dass mein Vater bei ihr steht, dass seine Hand auf ihrem Rücken liegt. Aber da ist niemand, das spüre ich.

Ich sehe Samuel an und kurz trifft mich sein Blick, ganz kurz nur, dann ist er wieder bei der gelockten Schönen, aber zu ihrer Linken hebt er – für sie unsichtbar und nur für mich – die Hand und zeigt mir seinen erhobenen Daumen.

Meine Mutter nimmt noch einmal Anlauf: »Bis sie gar nichts mehr gemerkt hat, ganz allein in ihrer Wohnung. Sollte sich wohl lohnen. Muss Musik gehört haben und hat wahrscheinlich getanzt. Irgendwie ist sie gestolpert, ausgerutscht, gefallen und mit dem Kopf gegen die Heizung geschlagen, so hat es der Arzt erklärt. Janik!«, sie schreit es. Schreit meinen Namen, als hätte es einen Sinn. Dann, ganz leise, fast geflüstert, ich muss den Hörer an mein Ohr pressen: »Sie ist einfach liegen geblieben. Schädelbasisbruch, Hirnschwellung. Wenn sie sofort jemand gefunden und eingewiesen hätte – vielleicht hätte man sie noch retten können. Der Arzt sagt, man sägt dann den Kopf auf, damit das Hirn genügend Platz hat, dann kann es abschwellen. Manche kommen ohne bleibende Schäden davon. Aber ihr Hirn hat sich am eigenen Knochen kaputt gedrückt. Sie ist vor sich hin gestorben, zwei Tage lang. Lag in ihrem Wohnzimmer, alles ordentlich, nur ein bisschen Blut an der Stirn und auf dem Teppich vor ihrer Heizung«, sagt meine Mutter. »Und nach ein paar Tagen erst hat man sie gefunden, hat ein Nachbar Sturm geklingelt. Und niemand hat aufgemacht. Dann hat der Hausmeister die Wohnung öffnen lassen.« Das Telefon piept. Gleich wird die Verbindung abbrechen.

Samuel biegt sich vor Lachen. Vielleicht ist er doch ein Türke, wie er mit dieser Frau redet, ganz normal und unverstellt. Wie er ist. Der mit den Räuberhänden und ich in der Glaszelle, Zuhause im Ohr, eine wimmernde Mutter.

»Sie ist vor zwei Tagen beerdigt worden«, flüstert sie. »Wir waren da. Und wo wart ihr?«

Ich will kein Wort sagen, ich will meine Stimme nicht hören. Was machen wir eigentlich in Istanbul. Wie soll ich Samuel irgendwas sagen. Wer ist Schuld. Warum Istanbul, warum so ein Wetter. Dass immer einfach alles weiter läuft, dass sich nichts verändert, dass wir nichts gemerkt haben, dass alles beim Alten ist, dass die Sonne scheint. Ich kneife ein Loch in meinen Daumen, bis er blutet und stecke ihn in meinen Mund. Samuel legt seine Hand an die Hüfte der Lockenfrau. Ich schmecke Eisen. Das Telefon piept. Wenn ich wenigstens weinen könnte. Ich denke: auflegen und rüber gehen zu deinem besten, deinem einzigen Freund, lächeln, bis seine Eroberung gegangen ist, lächeln und ihn irgendwann beiseite nehmen. Und deinem Freund erzählen: Deine Mutter ist begraben, beerdigt, liegt unter mehreren Kubikmetern Erde, siehst du nie wieder. Hat sich im Suff den Schädel zerschlagen. Kurz bevor die Verwesung eingesetzt hat, hat man sie gefunden und aus der Wohnung getragen. Meine Eltern waren auf der Beerdigung. Haben für dich mitgeweint. Können dir davon erzählen. »Janik«, sagt meine Mutter. Und mein Mund öffnet sich, aber nichts als unhörbarer Atem entweicht. Es piept noch einmal. Ich lege auf. Wer ist stärker.

Wir stellen die Hilfsgüter auf der Bank ab. Wie immer hat Bubu als erster die Hand in der Tüte. Er fischt eine Salami heraus, lässt sie in der Tasche verschwinden und sucht weiter. Samuel schnappt sich die Tüte und bringt sie in Sicherheit, lehnt sich gegen die Scheibe des Supermarkts. Ich folge ihm.

»Was hast du eigentlich gegen Bubu?«, frage ich ihn.

»Ja, nichts. Ich weiß nicht. Ich mag den Typ einfach nicht.«

»Warum?«

»Diese Art Selbstinszenierung.«

»Bubu?«

»Ja, dass er zum Beispiel jedes Jahr erzählt, dass er abhaut, sobald der Herbst kommt.«

»Na und?«

»Ja, find ich einfach albern. Jedes Mal stresst er damit alle, vor allem Moppel, der kriegt dann immer richtig Angst, der weiß ja auch, dass er alleine nichts hinkriegt. Und Bubu verabschiedet sich dann irgendwann und haut ab.«

»Wie, haut ab?«

»Na, nur für'n paar Tage. Erzählt. Spanien, Spanien und Palmen und Orangen und alles, und dann fährt er mit dem Zug zwei Dörfer weiter und quält sich ne Woche, nur damit hier alle denken: Oh, Bubu, oh.«

»Wusst ich ja gar nicht.«

»Ja, hat er früher gemacht, glaub ich. Weiß ich noch, als ich noch so klein war«, Samuel streckt die Hand zum Boden, »da hat er's schon erzählt und Irene war auch total aus dem Häuschen, aber eher so gespannt. So: Das müsste man auch machen, Spanien. Und dann hatte ich auch Schiss, dass sie auf einmal weg ist, in Spanien und mich hier lässt. Bubu hat hier immer allen Flausen in den Kopf gesetzt. Aber nur um sich wichtig und interessant zu machen. Das hab ich schon beim zweiten Mal gedacht, als er dann nach ein paar Tagen zurück war.«

»Aber ist doch eigentlich cool.«

»Geht so.«

»Na, ich mein, dass er noch so irgendwie was vorhat, dass der noch so träumt.«

»Ja, aber ist ja alles nur Gelaber. Ich hab schon so viel Gelaber gehört. Und Bubu labert auch nur und außerdem bringt er dann auch noch alle mit seinem Gequatsche durcheinander. Moppel, echt, der schnallt das ja nicht in seinem dämlichen Kopf und der eiert dann nur durch die Gegend wie ein aufgescheuchtes Huhn und labert auch alle voll und fängt ständig an zu heulen. Ich kann das nicht ab. Dann steht Bubu dabei, sagt nichts, glotzt nur, macht den Harten, der hier sowieso alles für'n Arsch findet und der jetzt in der Ferne sein Glück sucht. Ist doch albern. Und dann hält er's nicht mal mehr als fünf Tage irgendwo aus, nicht mal dreißig Kilometer weit weg. Weil Bubu eben einfach kein Entdecker oder so was ist, sondern ein Säufer und sonst nichts.«

[Samuels Finger zeigte auf Irenes Bauch. »Da ist sie noch ganz dünn«, sagte er und ich nickte: »Ist sie doch jetzt auch.«
»Da bin ich drin, Mann«, sagte er. »Noch nicht lange, nur ein paar Wochen. Da siehste nichts, nicht mal ne kleine Wölbung«, er biss sich auf die Lippe, grinste, »bin nicht so die Rampensau.«]

Er ist euphorisch, ich sehe seine Augen, sehe seine Nüstern, gerade pumpt das Glück in ihm. Erstaunlich wie schnell er sich erholt hat, wie schnell er plötzlich wieder bei Kräften ist. Ich hatte befürchtet, die Krankheit könne ihn verändern, so wie mich, wie meine Stimmung. Aber Samuel ist zurück, als wäre er nicht weg gewesen. Er boxt mich in die Seite, »wie geil!«, sagt er. Ich verziehe den Mundwinkel zu einem Lächeln. Ich traue mich nicht, zu reden. Kein Wort. Wenn ich etwas sagen kann, dann nur: deine Mutter ist tot. Ich weiß, ich sollte ihn ausfragen. Wie die Frau mit den Locken heißt, was sie geredet haben, ob sie sich treffen. Jetzt gäbe es was zu reden, jetzt könnte man noch einmal Pläne machen, mit dem neuen Geld: wann wir sie sehen und wo; was man unternehmen könnte. Wir würden uns mit Nüssen auf die Straße setzen und überlegen; vielleicht Mofas ausleihen, einen Ausflug machen, sicher hat sie Freundinnen, sicher weiß sie, wo man gut ausgehen kann. Vielleicht hätten wir mit ihr, mit seiner gelockten Schönen, endlich den Schlüssel für die Stadt gefunden. Samuel legt seine Hand auf meine Schulter und guckt mich erwartungsvoll an, seine Augen sind groß wie lange nicht, sein Gesicht locker und freundlich. Mein Mund ist fest verschlossen.

»Was denn, Alter?« Er lacht und dreht den Kopf in alle Richtungen, sein hüpfender gutgelaunter Gang. »Hast sie gesehen?«

Ich nicke.

»Voll der Hammer, oder?«

Ich nicke.

»Mann, hab sie nur angeguckt und gelächelt«, er zuckt die Schulter, »und sie ist stehen geblieben und es war ganz einfach. Mann, sie hat mir ihre Nummer gegeben.« Wie zum Beweis hält er mir einen kleinen Zettel hin und haut mir mit der flachen Hand auf den Rücken.

»Na, was meint deine Mama? Kriegen wir die Kohle?«

Ich zucke die Schultern.

»Wie jetzt?«

Ich sehe weg, drehe mich um, weg von ihm, weil es losgeht. Ich fange an zu weinen, nur kurz und verwische das bisschen Feuchtigkeit in meinem Gesicht. Ich drehe mich zurück und sehe ihn an.

»Was denn los?«

Meine Lippen springen auseinander. Es fehlt ein Ton. Ich frage mich, wie eine Stimme klingt. Wie eine Stimme klingen sollte, bei solchen Worten. Ich denke an Gewehre, an Schlachtbank, an Pastoren. Ich sage: »Irene.«

»Was?«

Ich sage: »Rückfall.«

Über sein Gesicht fällt irgendwas. Da ist keine Bewegung, keine Veränderung, da ist nichts. Man kann nichts sehen. Aber irgendwas ist trotzdem geschehen in seinem Gesicht, irgendwas in ihm ist umgelegt. Irgendwas wartet und ahnt. Es steht noch immer seine Freude im Gesicht, die Freude über die Lockenfrau, nur ist dahinter etwas verschwunden, ausgegangen. Etwas, das man nur erkennt, wenn man den mit den Räuberhänden kennt.

Ich sage: »Tot.«

Ich sage: »Irene ist tot.«

Ich sage: »Hirnschwellung. Und begraben schon.«

Es fällt aus mir heraus.

Und Samuel stößt ein kleines Lachen durch seine Nüstern, die so klein sind wie seine Augen jetzt. Zusammengezogen. Es ist nicht möglich, natürlich. Aber es ist, als sei er gewachsen um einen oder zwei Zentimeter. Sprunghaft, in dieser einen Sekunde, in der ich das Wort ausgesprochen habe: *tot*. Und er ist, zack, einen Zentimeter größer als vorher. Nicht aufgerichtet oder den Rücken durchgedrückt. Gewachsen, plötzlich. Man misst es an der Höhe der Augen und wie sie zueinander stehen. Der Winkel hat sich verändert, ich bin sicher. Auch wenn es nicht sein kann. Unter Freunden, auch wenn man nie darüber nachdenkt, kennt man den Winkel, in dem die Augen zueinander stehen und man merkt, wenn sich etwas verändert.

»Bubu, wir hauen bald ab hier.«

»Nee, ich bleib noch.«

»Nein, Mann, Samuel und ich. Wir hauen ab. Nach Istanbul.«

»Ach so«, er nickt, als hätte ich ihm eine Dose Bier aufgemacht. Ich gucke ihn an, aber das interessiert ihn nicht.

»Warum bleibst du eigentlich hier?«

»Geht ja nicht.«

»Wieso?«

»Zu Hause ist zu Hause. So ist das.«

Ich sage: »Ach so«, und kratze mich am Knie.

»Eigentlich ist es doch echt scheißegal, wo du Penner bist, Bubu. Wenn du nach Spanien willst, warum gehst du dann nicht einfach? Flug nach Mallorca kostet vielleicht hundert Euro.«

Er guckt mich an und schnauft, als würden wir seit Stunden reden. Dann zuckt er mit den Schultern, geräuschvoll fahren seine Schuhe auf dem feinen Kies vor ihm hin und her. Bubu drückt seinen Rücken durch, schiebt die Hände unter die Oberschenkel und sagt: »Ich kann doch gar kein Spanisch.«

Samuel krümmt sich vor Lachen. Wiehert wie der ganze Saal. Über die Leinwand flimmert ein bunter, schnell geschnittener Streifen, von dem ich nichts verstehe. Ich frage mich, ob Samuel wirklich versteht, worum es geht, oder ob er nur darauf achtet, wann die anderen lachen und dann mit ihnen lacht, um mir zu beweisen, dass er hier hergehört und die Witze wie selbstverständlich versteht. Er wollte unbedingt ins Kino, nachdem er sich mit dem schnarchigen Schlaks aus unserem Hostel unterhalten hat. Der hatte ihm vom türkischen Filmgeschäft erzählt. Dass soundsoviele Filme pro Jahr gedreht werden, mit welchem Budget und so weiter. Dann meinte Samuel: »Wir gehen jetzt ins Kino.« Ich denke: vielleicht doch, vielleicht muss man sich irgendwann entscheiden für das, was das Leben realistischerweise zu bieten hat. Die Kraft haben, sich auf das zu konzentrieren, was machbar ist. Haus, Frau, Kind, Arbeit.

Wir sitzen im dunklen, überfüllten Saal und gucken einen Film, der viel zu voll ist von Effekten. Das ist die Realität, einfach und nicht einfach. Sich mit den Möglichkeiten anfreunden, mit dem Erreichbaren zufrieden sein.

Samuel hat nicht geweint, wir haben nicht weiter darüber gesprochen. Er hat nur die Schultern gezuckt, so als sei es nicht anders zu erwarten gewesen. Der mit den Räuberhänden weint nicht. Er hat gesagt, ich solle auf ihn warten, er gehe kurz spazieren. Er war weg und nach einer Stunde ungefähr war er wieder da und hat genickt. »Okay«, hat er gesagt. Okay.

Vielleicht müssen Eltern so sein, so wie Irene, und einfach

sterben, wenn es losgeht. Eltern sollten sterben, wenn man erwachsen wird, damit man überhaupt Platz genug hat, um erwachsen zu werden. Was würde ich machen, wenn es meine Eltern wären, die jetzt tot und vergraben sind. Beide bei einem Unfall umgekommen, gegen einen Baum gefahren, von einem LKW zerfetzt oder ermordet und schon unter der Erde. Was würde dann vor mir liegen. Immerhin, könnte man sagen. Immerhin wäre man dann diesem einen kleinen Leben entkommen. Dann gäbe es kein einfaches Zurück.

Ich werde fliegen. Ich kann hier nicht bleiben.

Samuel streift sich die Schuhe von den Füßen, drückt sie oben gegen die Lehne des Sessels vor ihm und sich selbst tiefer in das abgewetzte Polster. Auf der Leinwand findet eine Modenschau statt, eine junge Frau spricht irgendwas direkt in die Kamera. Samuel lacht und klatscht zwei Mal in die Hände. Ich finde, er sollte wissen, dass er mir nichts beweisen muss. Für wen ist diese Unbekümmertheit. Heute Nacht noch oder morgen früh werde ich noch einmal mit meinen Eltern telefonieren. Sie um Geld bitten, für Samuel, dann werde ich zum Flughafen gehen und einen Rückflug buchen. Ich bin nicht mein bester Freund. Mir ist nicht, als wäre nichts gewesen. Samuel dreht sich zu mir um und sieht mich kurz an, mit seinem frohen Grinsgesicht: »Scheiße, Mann, du verstehst kein Wort, oder?« Ich schüttele den Kopf. Ob er mitkommt oder nicht. Es ist mir fast egal, weil es kaum etwas bedeuten würde. Mein Entschluss steht. Ich weiß: er wird den Kopf schütteln, den Mund verziehen. So selbstverständlich, wie er lacht, jetzt und hier, mit einem ganzen Kinosaal im Rücken. »Du bist kein Türke«, murmele ich in das Wiehern der Leute. Samuel ist nicht mal ein türkischer Name. Wir sehen uns, irgendwann später, sicher. Was er hier noch will, was er wohl suchen wird.

Auf dem Nachhauseweg sage ich: »Urlaub ist vorbei.«

Und Samuel nickt nur.

»Ich fliege. Morgen werd ich mir nen Flug buchen.«

»Ja«, sagt er.

Ich wollte ihm erzählen, was meine Mutter mir erzählt hat, aber Samuel hat abgewunken. Er wollte es nicht wissen. Alles was ihn interessiert hat, war, wann genau sie gestorben ist. Und in seinem Gesicht konnte ich sehen, dass er überlegt hat, was er selbst zu diesem Zeitpunkt gemacht hat, dass er versucht hat, die Zeiten übereinander zu legen. Er hat nach der Uhrzeit gefragt, ich habe die Schultern gezuckt. Er hat gefragt, ob ich wisse, was mit der Wohnung geschieht, mit ihren ganzen Sachen. »Nein«, habe ich gesagt, »keine Ahnung. Ich kann meine Eltern fragen, wenn ich sie anrufe, wegen der Kohle.« Ich habe gesagt: »Wenn ich zu Hause bin, kümmere ich mich darum, können wir ja bei uns unterstellen.« Er hat genickt und wir haben uns auf den Weg ins Kino gemacht.

[Es klingelt. Ich nehme das Foto von der Wand, löse vorsichtig den kleinen Tesafilmstreifen von der vergilbten Pappe und stecke das Foto ein. Es klingelt noch einmal. Als ich aus Samuels Zimmer gehe, um dem Hausmeister zu öffnen, schließe ich ganz automatisch die Tür hinter mir.]

Ich bin sicher: es gab nur diese eine Möglichkeit für unsere Freundschaft. Der mit den Räuberhänden ließ eigentlich niemanden in sein Leben. Ich hatte mich schon vorher einige Male auf dem Schulhof neben ihn gestellt, darauf geachtet, dass ich neben ihm lief, wenn wir in die Pause gingen, oder die Schule aus war. Er war nett, gar keine Frage, nett und unverbindlich, distanziert und unberührbar. Er war sofort und auf den ersten Blick beliebt, einer, den man mochte, dem man gefallen wollte, dessen Meinung man hören wollte, der sich aber immer mit einem freundlichen Lächeln entzog, der da war und dabei, aber nie wirklich, immer ein bisschen außen. Das gab ihm etwas, auch wenn das Wort zu groß ist: Erhabenes. Es ging mir sofort so, dass ich mich von ihm beobachtet fühlte, dass ich anfing, mir selbst zuzusehen, weil ich mich fragte, wie er mich wohl sah, mit seinen scharfen Augen, was er über mich dachte und was er in mir erkannte. Er war ein bisschen erwachsener, reifer. Er war kontrolliert und kaum aus der Fassung zu bringen. Dann aber geschah diese Geschichte mit den Mädchen, die ihm den Diebstahl in die Schuhe schoben. Und heute glaube ich, dass es ein Glücksfall war, für uns beide, und dass, wenn ich damals nicht einfach und ohne zu überlegen, mit ihm gegangen wäre, mich einfach an ihn gehängt und diesen kleinen Moment seiner Schwäche, seiner Verletztheit genutzt hätte, mich zu seinem Begleiter zu machen, wir wären heute nicht, was wir sind. Samuel, der sich bis dahin so perfekt abgeschirmt hatte, der nach der

Schule sofort, eilig und ohne Umwege verschwand, der sich nicht verabredete, der keiner Einladung nachkam, an diesem einen Tag war ihm alles egal. An diesem einen Tag war es ihm recht, dass ich einfach neben ihm herlief, dass ich mit ihm ging, dass ich bei ihm war und ihm sagte, dass ich ihm glaubte. Wäre das nicht passiert, wir hätten uns verpasst, ich bin mir sicher. Es war eine einmalige Chance. Aber es war eben auch so: in mir gab es nicht den Hauch eines Zögerns, es war klar und selbstverständlich, dass ich mit ihm ging, dass ich neben ihm her in seine Welt lief, und dass er mich hinein ließ. Keine Frage, es war so und es musste so sein. Wir haben uns füreinander entschieden. So war das. Wir wollten immer zusammen sein.

Wir sitzen auf den Plastikschalensitzen, starren auf das Rollfeld vor uns, sehen die riesigen Maschinen starten, landen, sehen Fahrzeuge, die von Flugzeug zu Flugzeug fahren und wie Spielzeuge aussehen, obwohl sie groß wie Lkws sind. Sehen, wie Flugzeuge betankt werden, wie Gangways an ihre Bäuche gefahren werden und wie die kleinen Lotsen mit noch kleineren Täfelchen die Bewegungen der riesigen Maschinen koordinieren. Samuel hat einen Fuß unter seinem Hintern, mit dem anderen malt er kleine Kreise in die Luft über dem Linoleum. Neben uns liegt ein Mann über vier Sitze ausgestreckt und schläft mit einer Zeitung über dem Gesicht. Er hat einen grauen Anzug an und schnarcht leise. Ich frage mich, wie lange er schon auf seinen Flug wartet. Es ist früher Morgen. Ich krame in meiner Hosentasche und hole alles Geld hervor, das noch übrig ist, ein paar Scheine, ich halte sie Samuel hin. Er grinst breit, nimmt sie und rülpst. Wir lachen, ich haue ihm auf den Schenkel. Heute Nacht, lange vor Sonnenaufgang, hat Samuel eine große Flasche Raki aus dem

Rucksack geholt und zwei kleine Gläser. Wir haben uns gesetzt und er meinte: »Trinken wir auf alles. Auf uns, auf Irene, auf deine Eltern, auf Istanbul, auf unser Abi, auf alles, bis die verdammte Flasche leer ist. Ich will, dass du im Flugzeug kotzt und an mich denkst.« Ich habe ihn noch einmal gefragt, ob er wirklich vorhat, zu bleiben, alleine, und er hat nicht mal richtig geantwortet, nur geschnaubt und *Alter* gesagt.

Vielleicht läuft darauf das Erwachsenwerden hinaus, vielleicht ist das die Kunst, im besten Falle, einfach klar zu kommen. Und vielleicht ist es dafür notwendig, dass die großen Regungen von einem abfallen. Ob man will oder nicht. Alles, was man wirklich gebraucht, nutzt sich ab, wie naiv zu denken, gerade bei den Gefühlen gälten andere Gesetze. Man kann gar nichts dagegen tun. Man kann sich bestenfalls damit arrangieren.

Wir haben die verdammte Flasche leer gemacht, mussten auf alles zwei Mal trinken, aber wir haben die Flasche leer gemacht. Jetzt sitzen wir in der großen Flughafenhalle. Es ist noch vor neun Uhr. Samuel steht auf und kauft Schokoriegel an einem Ülker-Automaten. Er schlurft zurück, seine Schuhe singen auf dem Linoleumfußboden. Ich lache und er wirft mir zwei Riegel in den Schoß. Er lässt sich in den Plastiksitz fallen und schnauft. Wir sind auf dem Weg.

»Scheiße«, sagt er, »krieg schon Kopfschmerzen«, und grinst mich schief an.

»Problemfall«, sage ich, wir lachen. »Ich muss mal langsam einchecken.«

»Mh. Grüß deine Eltern schön vom Adoptivkind.«

»Mach ich. Das Geld ist in ein paar Tagen auf deinem Konto.« Er nickt.

»So, dann jetzt mal zu Mutti«, sage ich und stehe auf.

Danke:

Judith Szillus, Beate Haas-Heinrich, Jette Heinrich, Tjark & Jule Müssig, Rudolf Zimmermann, Uwe Heinrich, Figen Ünsal, David Hugendick, Andreas Stichmann, Jan Oberländer, Robert von Lucius, Judith Henning, Stefanie Ericke, Peter Reichenbach, Daniel Beskos, Blanka Stolz, Niedersächsisches Ministerium für Bildung und Wissenschaft